ナツメ社
やる気ぐんぐん
シリーズ
行ってみたい！見てみたい！
オールカラー
楽しく覚える！
新版
都道府県
元筑波大学附属小学校副校長
元明治学院大学准教授
長谷川康男 監修
ナツメ社
ドーーン
シュクダイイセー！
くさつ
バーン
ママ

目次

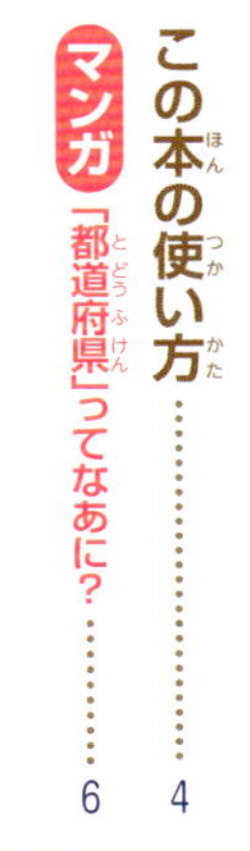

近畿地方

中国地方

四国地方

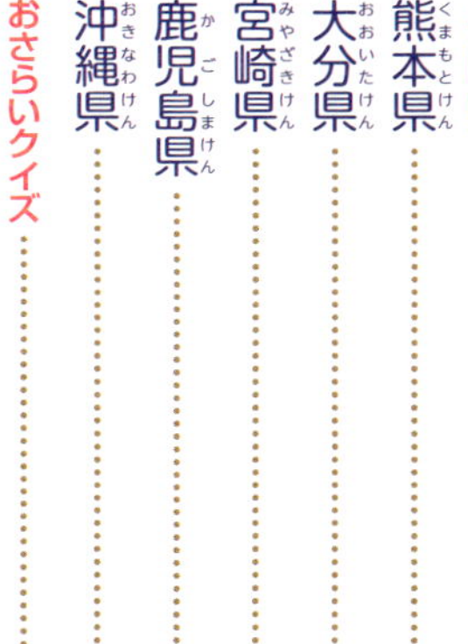

九州・沖縄地方

この本の使い方

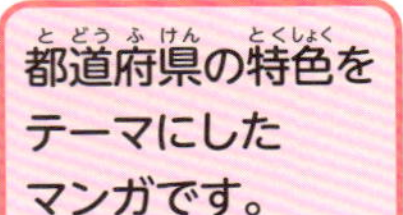

都道府県の交通の特徴が書いてあります。

都道府県の名前と特徴が書いてあります。

都道府県の場所が書いてあります。

都道府県の産業や特産品、自然・環境などが書いてあります。

面積や人口などの基本データが書いてあります。

※2020年度のデータを掲載しています。

下のマークのものは、次のページに説明が書いてあります。

自然・環境

産業

歴史・伝統・文化

伝統工芸

凡例

- ……都道府県庁所在地
- ……世界遺産
- ……史跡・名勝
- ……空港
- ……港
- ……山
- ……道路
- ……鉄道

クイズやランキングで、楽しみながら都道府県の知識が身につく！

巻頭には、日本いろいろマップを掲載！
各地方の章の終わりには、
都道府県のシルエットクイズや、
おさらいクイズ、楽しいランキングが
のっているよ！

覚えておきたいいろいろな情報が書いてあります。

都道府県の自然・環境、産業、歴史・伝統・文化、伝統工芸を、写真やイラストつきで説明してあります。

自然・環境

知床半島

北海道の北東部に位置し、オホーツク海に接する知床半島は、冬になると流氷が流れつきます。流氷にふくまれる豊富な栄養が、海から陸へともたらされて、ゆたかな自然と多様な生き物を育んでいます。原始の自然も多く残されていて、日本最後の秘境とも言われます。2005年に世界自然遺産(世界的に守る価値があるとされた自然)に登録されました。

産業

タマネギ

広大な土地で、さまざまな作物が栽培されていて、タマネギの収穫量は日本一です。なかでも北見市は、日照時間が長く、寒暖差の大きい気候がタマネギの栽培にあっていて、生産がさかんです。上に長く成長した葉が横にたおれると、収穫のときです。機械を使って収穫されます。

乳用牛

乳用牛は、乳をとるために飼育しているウシです。酪農王国といわれる北海道は、乳用牛の飼育頭数、日本一です。人口よりウシの数が多い町も多く、飼育数が日本一の別海町は、人口の約7倍、10万頭以上もの乳用牛が飼育されています。また、肉用牛の飼育頭数も全国の約2割をしめていて日本一です。

放牧されている乳用牛

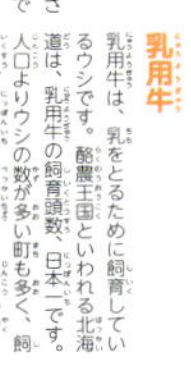

バター

日本の生乳(牛乳や、乳製品の原料)の5割以上は、北海道でとれます。乳用牛からとれた乳の多くは、バターやクリーム、チーズなどの乳製品に加工されます。なかでもバターは、約85%が北海道で生産されています。

歴史・伝統・文化

アイヌ文化

北海道の先住民であるアイヌ民族が生み出した独特の文化で、鎌倉時代のころから今に続く日本文化のひとつです。海の魚や山の動植物を食料とし、その皮などで衣服をつくっていました。自然には神(カムイ)が宿ると考え、めぐみをあたえてくれる自然への感謝を表すさまざまな儀式が行われていて、今も残っています。

アイヌの村長の像

伝統工芸

アットゥシ織

オヒョウという木の皮のせんいで織った織物で、アイヌの人びとの衣服に使われました。平取町はそんなアイヌの伝統を色こく受けついでいる町で、この町の二風谷地区でつくられた「二風谷アットゥシ」は、2013年に北海道ではじめて伝統工芸品に指定されました。模様は「アイヌ文様」と言われ、魔よけの意味があるとされています。

もっと知りたい！ 北方領土問題

北方領土は、国後島、択捉島、歯舞群島、色丹島の4つの島を言うよ。日本の土地なんだけど、第二次世界大戦のときに旧ソ連(現在のロシア)が占領してしまったんだ。それは今も続いていて、日本は返してもらうよう、ロシアに働きかけているよ。

前のページのクイズの答えです。

都道府県に関するクイズです。全部で100問あります。

学習の確認に便利！別冊 都道府県カード付き

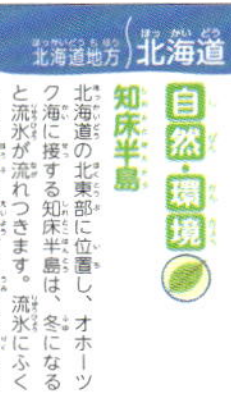

「都道府県」ってなあに？

あれ？
おとなりの
ケン兄
やあー！
かずき！
ゆい！
どこか旅行に
行ってたの？
うん
今帰った
とこさ

そう言えば
いろんなとこ
旅行してるんだっけ
バイトで
お金ためて
そう！
聞いてくれよ！
これで全部の
都道府県を
制覇したんだ!!

はい、これ
おみやげ！
今回は九州に
行ったんだ
わー！
ありがとう♡
鹿児島
銘菓
サツマイモの
おかしだよ

とどう
ふけん？
って何？

都道府県とは
日本を47に分けている
自治体のことだよ
自治……つまりその地方の
政治や行政の権限を持つ
小さな国ってとこかな

国……
あ!
そう言えば
時代げきとかで
「薩摩の国」とか
言ってるの
聞いたことある
さつま?
薩摩は昔の
鹿児島県西部の
よび名だね
そう、さつまいもの「さつま」だよ
都道府県のよび方は、1871年に、それまで使われていた藩に替わって県を置く“廃藩置県”によって決められた。(くわしい解説は、11ページをチェック)

全部の
都道府県って
ことは
ケン兄
日本一周したの!?
すごい!!

ねえ!
日本の
いろいろな場所の
お話聞かせて!
おかし
分けて
あげるから
それ……
ぼくがあげた
やつだけどね

日本ってどんな形？

オホーツク海
北海道地方
北海道
青森県
秋田県
岩手県
山形県
宮城県
東北地方
福島県
関東地方
わあ、これは日本地図ね！見たことあるわ

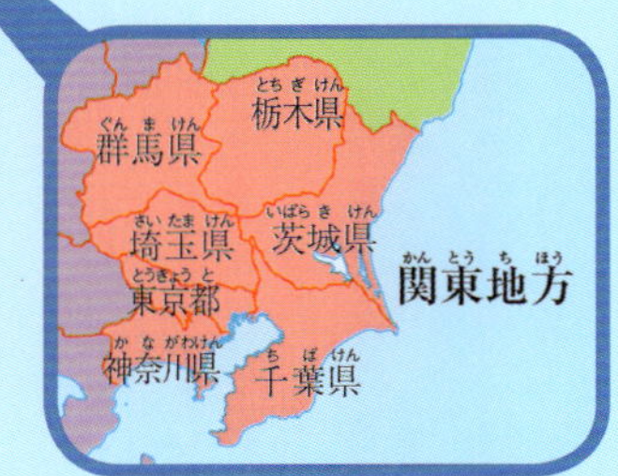
栃木県
群馬県
埼玉県
茨城県
関東地方
東京都
神奈川県
千葉県

ずいぶんたくさんの都道府県があるんだね

日本は海にかこまれた南北東西に長い国だよ。全部で47の都道府県があるんだ

鹿児島県
沖縄県
日本海
中部地方
新潟県
石川県
富山県
福井県
長野県
岐阜県
山梨県
滋賀県
愛知県
静岡県
中国地方
鳥取県
島根県
岡山県
山口県
広島県
兵庫県
京都府
大阪府
奈良県
三重県
和歌山県
近畿地方
太平洋
香川県
愛媛県
徳島県
高知県
四国地方
福岡県
佐賀県
大分県
長崎県
熊本県
宮崎県
鹿児島県
九州地方

基本データ

面積	約37万8000㎢
人口	約1億2541万人
島の数	6852
国の鳥	キジ

昔の日本地図を見てみよう

廃藩置県って?

1871年(明治4年)に、明治政府が全国の「藩」を廃止して「府県」を置いたこと。最初は3府302県があったが、同年末までに3府72県になった。1879年には沖縄県を設置。その後、1都1道2府43県の現在の形になった。

日本いろいろマップ

日本にある世界遺産

日本では、23件の世界遺産が登録されています。（2021年現在）□は文化遺産、□は自然遺産です。近々、三内丸山遺跡などの「北海道・北東北の縄文遺跡群」が、文化遺産に登録される見通しです。

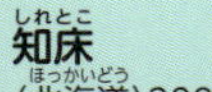

白川郷・五箇山の合掌造り集落
(岐阜県・富山県) 1995年登録

知床
(北海道) 2005年登録

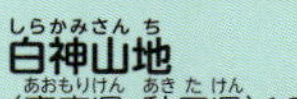

白神山地
(青森県・秋田県) 1993年登録

平泉—仏国土(浄土)を表す建築・庭園及び考古学的遺跡群—
(岩手県) 2011年登録

日光の社寺
(栃木県) 1999年登録

富岡製糸場と絹産業遺産群
(群馬県) 2014年登録

ル・コルビュジエの建築作品—近代建築運動への顕著な貢献—
(東京都) 2016年登録

百舌鳥・古市古墳群—古代日本の墳墓群—
(大阪府) 2019年登録

富士山—信仰の対象と芸術の源泉—
(静岡県・山梨県) 2013年登録

小笠原諸島
(東京都) 2011年登録

※地図上の点は、構成資産の一部の位置を示しているものもあります。

姫路城
(兵庫県)1993年登録

法隆寺地域の仏教建造物
(奈良県)1993年登録

古都京都の文化財
(京都市、宇治市、大津市)
(京都府・滋賀県)1994年登録

石見銀山遺跡とその文化的景観
(島根県)2007年登録

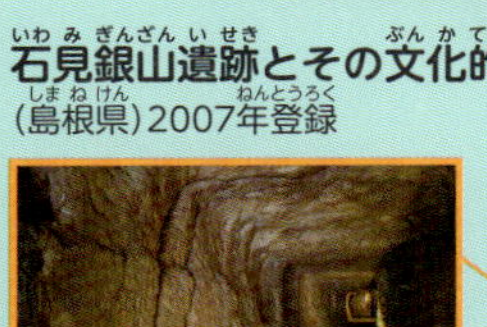

古都奈良の文化財
(奈良県)1998年登録

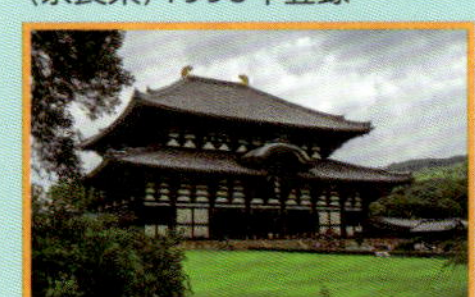

明治日本の産業革命遺産
製鉄・製鋼、造船、石炭産業
(山口県・福岡県・佐賀県・長崎県・熊本県・
鹿児島県・岩手県・静岡県)2015年登録

原爆ドーム
(広島県)1996年登録

「神宿る島」宗像・沖ノ島と
関連遺産群
(福岡県)2017年登録

写真提供：福岡県観光連盟

厳島神社
(広島県)1996年登録

屋久島
(鹿児島県)1993年登録

長崎と天草地方の
潜伏キリシタン関連遺産
(長崎県・熊本県)2018年登録

紀伊山地の霊場と参詣道
(和歌山県・奈良県・三重県)
2004年登録

琉球王国のグスク
及び関連遺産群
(沖縄県)2000年登録

日本海
四国
九州
琉球諸島

日本遺産①

「日本遺産」は、地域の歴史的魅力や特色を通じて日本の文化や伝統を語るストーリーです。様々な文化財を、地域が主体となって整備・活用、発信しています。

38 …… 江差の五月は江戸にもない—ニシンの繁栄が息づく町—
39 …… 荒波を越えた男たちの夢が紡いだ異空間～北前船寄港地・船主集落～
55 …… カムイと共に生きる上川アイヌ～大雪山のふところに伝承される神々の世界～
68 …… 本邦国策を北海道に観よ！～北の産業革命「炭鉄港」～
84 …… 「鮭の聖地」の物語～根室海峡一万年の道程～

19 …… 政宗が育んだ"伊達"な文化
20 …… 自然と信仰が息づく『生まれかわりの旅』～樹齢300年を超える杉並木につつまれた2,446段の石段から始まる出羽三山
21 …… 会津の三十三観音めぐり～巡礼を通して観た往時の会津の文化～
22 …… 未来を拓いた「一本の水路」～大久保利通"最期の夢"と開拓者の軌跡 郡山・猪苗代～
39 …… 荒波を越えた男たちの夢が紡いだ異空間～北前船寄港地・船主集落～
40 …… サムライゆかりのシルク　日本近代化の原風景に出会うまち鶴岡へ
56 …… 山寺が支えた紅花文化
69 …… みちのく GOLD 浪漫—黄金の国ジパング、産金はじまりの地をたどる
85 …… "奥南部"漆物語～安比川流域に受け継がれる伝統技術～

京都三大祭
(京都府京都市)

京都では毎年、葵祭、祇園祭、時代祭が盛大に行われている。

沖縄全島エイサーまつり
(沖縄県沖縄市)

沖縄各地で見られる伝統芸能「エイサー」が一堂に会する祭り。

岸和田だんじり祭
(大阪府岸和田市)

4トンもの山車が角をいきおいよく曲がる「やりまわし」が見もの。

博多祇園山笠
(福岡県福岡市)

1トンもの神輿を担いで全力で走る「追い山」が見もの。

長崎くんち
(長崎県長崎市)

異国情緒たっぷりのもよおしものが見られる、諏訪神社の祭り。

阿波おどり
(徳島県徳島市)

お盆の時期に開催され、たくさんのおどり手がエネルギッシュにおどる。

日本の交通網

日本は交通網がとても発達しています。道路はもちろん、鉄道、飛行機、船などで各都市がつながっています。

全国交通マップ

N
W
E
S
0
200km

新函館北斗
北海道新幹線
新青森
八戸漁港
秋田
盛岡
秋田新幹線
山形新幹線
新庄
気仙沼漁港
上越新幹線
山形
仙台
石巻漁港
北陸新幹線
新潟空港
新潟
関越自動車道
福島
仙台空港
塩釜漁港
北陸自動車道
東北新幹線
金沢
長野
常磐自動車道
高崎
東北縦貫自動車道
大宮
成田国際空港
敦賀
中央自動車道
東京
銚子漁港
大阪国際空港
名古屋
京都
静岡
東京国際空港
新大阪
三崎漁港
中部国際空港
焼津漁港
東海道新幹線
第一東海自動車道
第二東海自動車道

北海道
本州
日本列島全体図
九州
四国
沖縄
太平洋

新幹線
おもな有料道路
空港
漁港

稚内
稚内空港
北海道縦貫自動車道
根室
札幌
釧路空港
新千歳空港
新函館北斗
函館空港
日本海
北海道新幹線
新青森
中国縦貫自動車道
山陽自動車道
山陽新幹線
境漁港
浜田漁港
岡山
広島空港
下関漁港
広島
博多漁港
高松空港
北九州空港
関西国際空港
博多
松山空港
福岡空港
長崎空港
大分空港
高知空港
熊本
熊本空港
長崎漁港
長崎
九州新幹線
九州縦断自動車道
沖縄自動車道
鹿児島空港
宮崎空港
鹿児島中央
那覇
枕崎漁港
那覇空港

北海道はでっかいどう！

二人は知ってる都道府県、どこかあるかな？
はーい！
北海道！

日本で一番北にあるのよね
そうだね！
冬はとても寒さがきびしいけど夏はすずしくてすごしやすいんだ

かずきは北海道について何か知ってる？
う
うーん？

ドーン
でかいっ!!
ざっくりしてるな～

でも正解！
北海道は日本で一番大きな都道府県なんだよ
都道府県の面積ランキング
【1位】
北海道…83424㎢
【2位】
岩手県…15275㎢
【3位】
福島県…13784㎢
圧倒的!!

雄大な自然もあるし……

広い土地を生かして
農業はもちろん
酪農なんかも
さかんなんだ

たしかに
北海道って
おいしい乳製品が
いっぱいあるって
イメージ！
ヨーグルト
MILK
牛乳
バター

あとあと
海産物
なんかも♡
ゆいは
食べ物の話となると
だんぜん
力入るな……
へーっ
大きいだけに
いろいろな
みりょくが
あるんだな
だね！
あとあとー
さっぽろラーメンに
スープカレー♡

北海道

日本の一番北にあり、周囲を海に囲まれた北海道。
日本一面積の大きい都道府県で、雄大な自然にめぐまれています。

道庁所在地
札幌市

北方領土
国後島、択捉島、歯舞群島、色丹島の4つの島。

釧路湿原
日本最大の湿原。特別天然記念物のタンチョウがすむ。

肉用牛
肉用牛の飼育数は日本一。

ジャガイモ
全国の約8割を生産している。

基本データ

道庁所在地	札幌市
面積	約83424㎢
人口	約520万人
道の花	ハマナス
道の鳥	タンチョウ
道の木	エゾマツ

札幌雪まつり

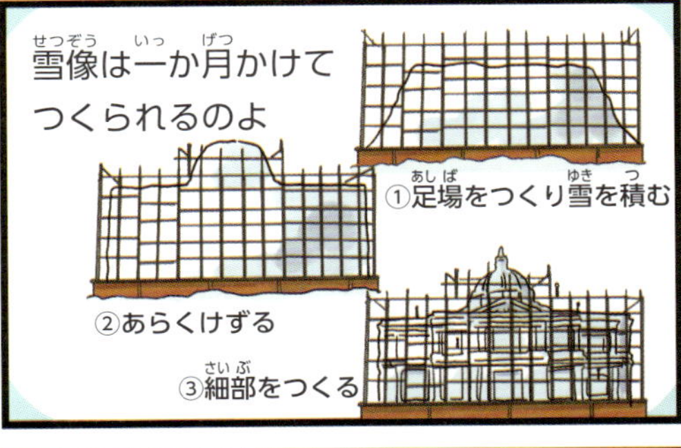

交通

道路

道央自動車道、道東自動車道、札樽自動車道などで道内を移動できる。

鉄道

新函館北斗駅と新青森駅が、北海道新幹線で結ばれている。札幌市内は地下鉄が走っている。

空路、海路

道内に14の空港があり、新千歳空港から飛行機で全国に行くことができる。
函館港から、フェリーで青森港や大間港へ行くことができる。

都道府県クイズ Q1 日本で一番空港が多い都道府県は？

自然・環境

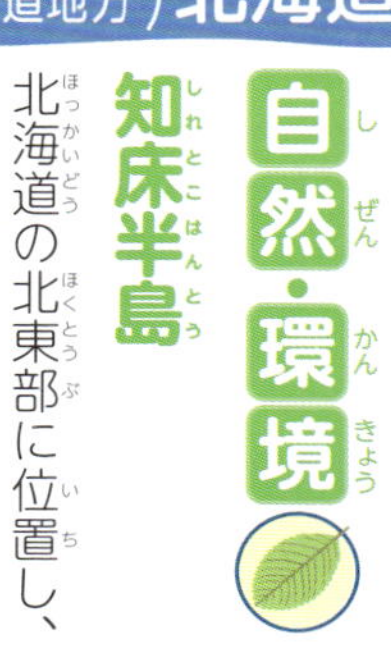

知床半島

北海道の北東部に位置し、オホーツク海に接する知床半島は、冬になると流氷が流れつきます。流氷にふくまれる豊富な栄養が、海から陸へともたらされて、ゆたかな自然と多様な生き物を育んでいます。原始の自然も多く残されていて、日本最後の秘境とも言われます。2005年に世界自然遺産(世界的に守る価値があるとされた自然)に登録されました。

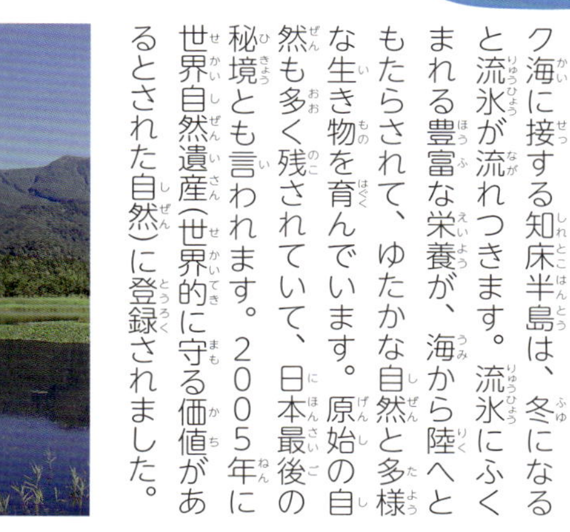

産業

タマネギ

広大な土地で、さまざまな作物が栽培されていて、タマネギの収穫量は日本一です。なかでも北見市は、日照時間が長く、寒暖差の大きい気候がタマネギの栽培にあっていて、生産がさかんです。上に長く成長した葉が横にたおれると、収穫のときです。機械を使って収穫されます。

根や葉も機械が切って、収穫してくれるんだね!

乳用牛

乳用牛は、乳をとるために飼育しているウシです。酪農王国といわれる北海道は、乳用牛の飼育頭数、日本一です。人口よりウシの数が多い町も多く、飼育数が日本一の別海町は、人口の約7倍、10万頭以上もの乳用牛が飼育されています。また、肉用牛の飼育頭数も全国の約2割をしめていて日本一です。

放牧されている乳用牛

バター

日本の生乳(牛乳や、乳製品の原料)の5割以上は、北海道でとれます。乳用牛からとれた乳の多くは、バターやクリーム、チーズなどの乳製品に加工されます。なかでもバターは、約85%が北海道で生産されています。

歴史・伝統・文化

アイヌ文化

北海道の先住民であるアイヌ民族が生み出した独特の文化で、鎌倉時代のころから今に続く日本文化のひとつです。海の魚や山の動植物を食料とし、その皮などで衣服をつくっていました。自然には神（カムイ）が宿ると考え、めぐみをあたえてくれる自然への感謝を表すさまざまな儀式が行われていて、今も残っています。

アイヌの村長の像

伝統工芸

アットゥシ織

オヒョウという木の皮のせんいで織った織物で、アイヌの人びとの衣服に使われました。平取町はそんなアイヌの伝統を色こく受けついでいる町で、この町の二風谷地区でつくられた「二風谷アットゥシ」は、2013年に北海道ではじめて伝統工芸品に指定されました。模様は「アイヌ文様」と言われ、魔よけの意味があるとされています。

もっと知りたい！

北方領土問題

北方領土は、国後島、択捉島、歯舞群島、色丹島の４つの島を言うよ。日本の土地なんだけど、第二次世界大戦のときに旧ソ連（現在のロシア）が占領してしまったんだ。それは今も続いていて、日本は返してもらうよう、ロシアに働きかけているよ。

都道府県クイズ Q2 京都府などで使われる「おおきに」という方言の意味は？

日本の米どころ、東北地方！

都道府県クイズ Q3 たったの300円で新幹線に乗れる区間がある都道府県は？

青森県

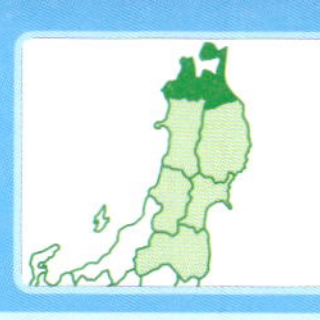

本州の一番、北にある青森県。リンゴの生産量は日本一です。
県の3分の2が森林で、林業もとてもさかんです。

都道府県クイズ Q3の答え 福岡県。博多駅から博多南駅間は300円で乗車できる。

ねぶた？　ねぷた？

交通

道路

東北自動車道や八戸自動車道で、県の南北を移動できる。

鉄道

新幹線で、宮城県、東京都などへ行くことができる。

空路、海路

青森空港から、飛行機で東京都、大阪府、愛知県などへ行くことができる。八戸港から苫小牧港へ、青森港から函館港へフェリーで行くことができる。

青函トンネル

日本最長の海底トンネル。本州と北海道をつないでいる。

ねぶた祭・ねぷた祭

巨大な山車が練り歩く、東北三大祭りのひとつ。県内各地で行われる。

基本データ

県庁所在地	青森市
面積	約9646㎢
人口	約125万人
県の花	リンゴ
県の鳥	ハクチョウ
県の木	ヒバ

白神山地

都道府県クイズ Q4 近畿地方で、海に面していない都道府県はいくつある？

自然・環境

白神山地

青森県から秋田県にまたがる広大な山地です。世界最大級のブナの原生林(人の手が入っていない森林)が残されていて、1993年に世界自然遺産に登録されました。自然のまま残された森林に、ツキノワグマやニホンカモシカ、国の天然記念物(保護するべき価値のあるもの)のクマゲラやイヌワシなど、貴重な動物や鳥、植物が数多く生息、自生しています。

産業

大間マグロ

大間マグロは、下北半島の最北端にある大間町でとれるクロマグロ(ホンマグロ)といわれる、マグロの中でも最も大きいものをいいます。大きいものだと、体長が3m、重さが400kgにもおよびます。波の荒い津軽海峡で、エサを落とし、まきとってつりあげる一本釣り漁法でつります。数百キロのマグロをつりあげるのに、数時間かかることもあり、命がけです。

リンゴ

リンゴの生産量が日本一の弘前市は、国内のリンゴの約2割を生産しています。収穫時期には、アップルパイの食べ比べなど、リンゴを使ったさまざまなイベントが行われます。

リンゴの花

ニンニク

青森県はニンニクの収穫量が日本一です。田子町は、1962年に栽培を始め、きびしい基準を設けて、高い品質を守り続けました。それが、評価の高い田子産ニンニクに結びついたと言えます。田子町には、ニンニクの資料を集めた「田子町ガーリックセンター」もあります。

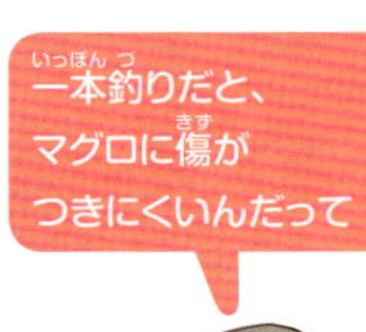

歴史・伝統・文化

弘前城

弘前城は、1611年（江戸時代）に建てられた城（建てられたときは、鷹岡城と言いました）です。1627年、落雷によって爆発が起こり、天守閣などが焼失します。その後、200年以上の時をへて、1810年に新築して天守閣が建てられました。天守閣がある城は、東北では弘前城だけです。

伝統工芸

津軽ぬり

津軽ぬりは、木や竹、紙などにうるしとよばれる木の樹液からできた塗料を何度もぬりかさねてつくる漆器です。じょうぶで美しい青森ヒバという木が使われています。ぬってはかわかし、文様をとぐという工程を数十回くりかえします。ばかていねいに手間や時間をかけることから、「ばかぬり」ともよばれます。

もっと知りたい！

青函トンネル

青函トンネルは、津軽海峡をはさんで、青森県と北海道を結ぶ海底トンネル。全長が53.85kmで、1988年の完成までに24年、構想から入れると42年かかったんだよ。トンネルができるまでは、青函連絡船という船で行き来していたんだ。

都道府県クイズ Q5 女性の平均寿命が一番長い都道府県は？

岩手県

北海道に次いで、日本で二番目に大きい岩手県。
太平洋に面したリアス式海岸では、魚や海藻が豊富にとれます。

わんこそばでおもてなし

交通

道路
東北自動車道で、県の南北を移動できる。長距離バスの路線が発達している。

鉄道
新幹線で、東京都、宮城県、青森県などへ行くことができる。

空路
花巻空港から、飛行機で北海道、大阪府、福岡県などへ行くことができる。

リンドウ

チャグチャグ馬コ
着飾ったウマが行列する、農耕馬の安全を願う伝統行事。

県庁所在地
盛岡市

リンゴ
盛岡市などで生産がさかん。

基本データ

県庁所在地	盛岡市
面積	約15275km²
人口	約123万人
県の花	キリ
県の鳥	キジ
県の木	ナンブアカマツ

都道府県クイズ Q6 プロ野球チーム、ライオンズの本拠地はどこの都道府県？

自然・環境

三陸海岸（リアス式海岸）

リアス式海岸は、太平洋に面した三陸海岸の南部の湾と岬がこうごに続く、ギザギザに入り組んだ海岸線を言います。海面が高くなり、海水が山地に入りこむことによって、長い年月をかけて形成されました。波によってけずられた変わった形の奇岩や洞窟など、変化に富んだ景色が見られます。

ギザギザしている海岸線

産業

リンドウ

秋の花の代表であるリンドウは、敬老の日のお花としても人気がありま す。八幡平市は、リンドウの生産量、栽培する面積ともに日本一をほこります。もともとは野生の花でしたが、1960年代後半から、八幡平市を中心に組織的に栽培するようになり、発展しました。

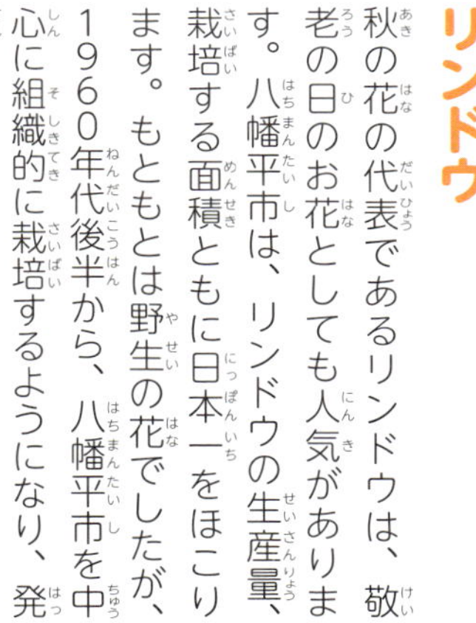

ワカメ

三陸海岸は日本有数のリアス式海岸で、沖合は、北からの親潮と南からの黒潮がぶつかり、豊富な栄養をもたらしてくれるため、海産物が豊富にとれます。特に「育てる漁業」がさかんで、コンブ、ワカメ、カキ、ホタテの養殖がさかんに行われています。中でもワカメの養殖は、生産量日本一。消費量も日本一です。肉厚で弾力のある、良質なワカメは人気があります。

木炭

岩手の木炭は、火のつきがよく、けむりや灰が少ないのに定評があります。岩手県では、炭焼きの職人のなかで、優秀な技術をもつ人を、「チャコールマイスター」として認定しています。

歴史・伝統・文化

平泉

平泉町は、平安時代末期に栄えた奥州藤原氏が、三代にわたって国をきずいた地です。平和を願い、この世に極楽浄土(仏の住む世界)をつくろう(浄土思想)と考えて、中尊寺や毛越寺など、多くの寺院が建てられました。2011年、この思想にもとづいてつくられた建築や遺跡などが、世界文化遺産(世界的に守る価値があるとされた文化)に登録されました。

毛越寺の冬景色

伝統工芸

南部鉄器

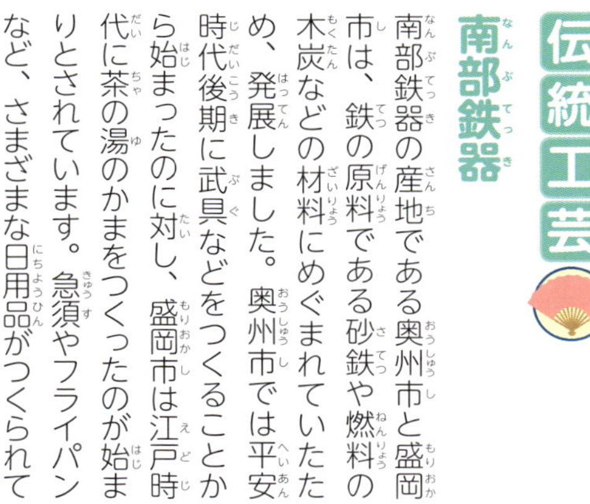

南部鉄器の産地である奥州市と盛岡市は、鉄の原料である砂鉄や燃料の木炭などの材料にめぐまれていたため、発展しました。奥州市では平安時代後期に武具などをつくることから始まったのに対し、盛岡市は江戸時代に茶の湯のかまをつくったのが始まりとされています。急須やフライパンなど、さまざまな日用品がつくられています。

もっと知りたい!

遠野物語

『遠野物語』は民俗学者の柳田國男が、遠野地方に伝わる民話をまとめて、1910年に発行した説話集だよ。カッパや座敷童、天狗などの妖怪が出てくる話が語られているんだけど、その多くが明治以降に起こったこととされているんだ。これらの民話などを語る人を語り部というよ。

カッパの伝説が残る淵もあるよ

都道府県クイズ Q7 四国地方で、香川県と接していない県は?

宮城県

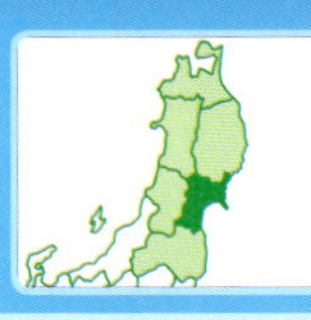

東北地方で、一番人口の多い宮城県。仙台市は、東北の行政・経済の中心地です。また、米作りや漁業もさかんです。

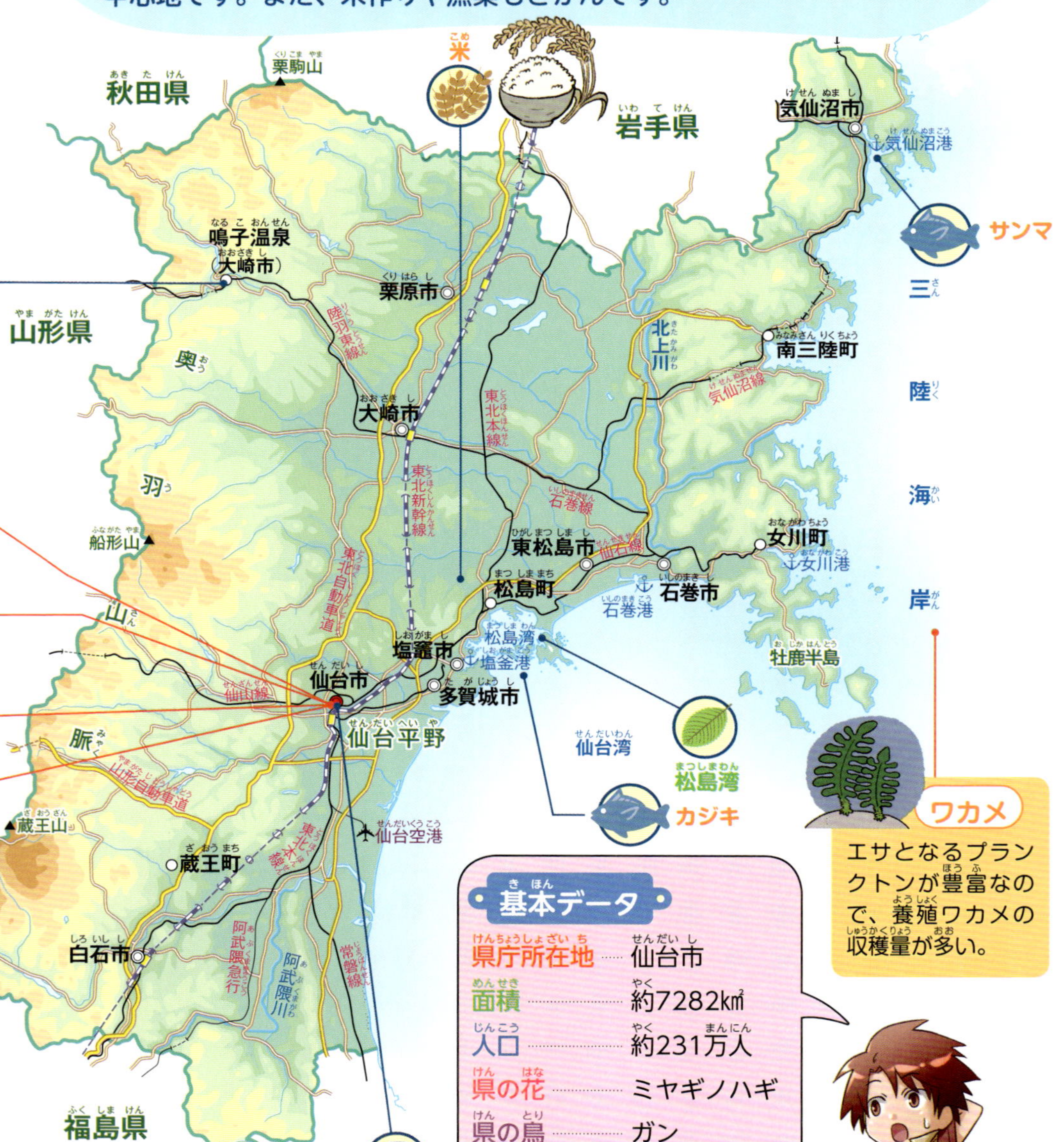

エサとなるプランクトンが豊富なので、養殖ワカメの収穫量が多い。

基本データ

県庁所在地	仙台市
面積	約7282㎢
人口	約231万人
県の花	ミヤギノハギ
県の鳥	ガン
県の木	ケヤキ

都道府県クイズ Q7の答え 高知県

8月の七夕祭

交通

道路
東北自動車道、山形自動車道、常磐自動車道などで県内を移動できる。

鉄道
新幹線で、東京都、大阪府などへ行くことができる。仙台市内は地下鉄が走っている。

空路、海路
仙台空港から、飛行機で大阪府や福岡県など全国に行くことができる。
仙台港から、フェリーで愛知県や北海道へ行くことができる。

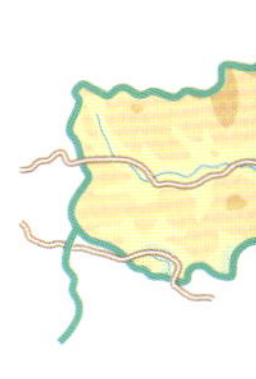

牛タン
仙台名物と言えば、牛タン(牛の舌)焼きと笹かまぼこ。

仙台七夕まつり
東北三大祭りのひとつ。街中に吹き流しが飾られる。

県庁所在地
仙台市

伊達政宗
現在の宮城県の基礎を築いた戦国武将。仙台の青葉城跡には政宗の銅像がある。

都道府県クイズ Q8 名前に「山」がつく都道府県はいくつある？

自然・環境

松島湾

海岸線が複雑に入り組んだ松島湾には、松におおわれた大小260もの島じまがうかんでいます。江戸時代から景色の美しさで知られていて、日本三景（日本を代表する景色の地）のひとつとされています。2013年には、フランスに本部がある「世界で最も美しい湾クラブ」（湾の環境や資源を守る）に加盟しました。

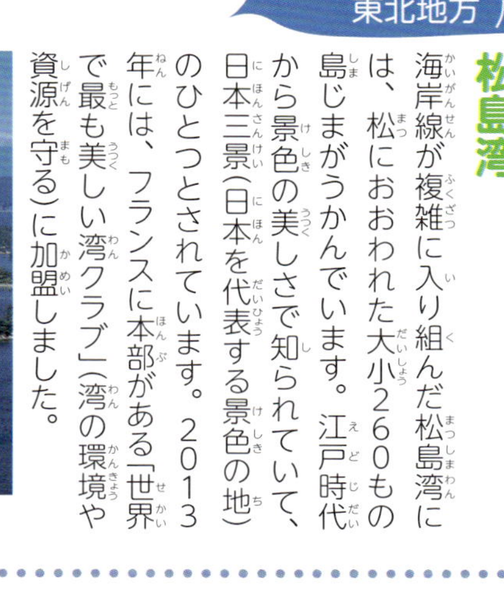

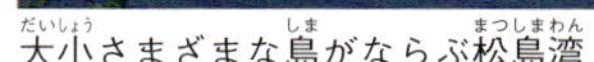

大小さまざまな島がならぶ松島湾

産業

米

仙台平野は、日本でも有数の米の栽培地です。本来、稲は寒さに弱いため、「やませ」という夏にふく冷たい風になやまされてきました。何度も品種改良を重ねて、1991年に寒さに強い、宮城県を代表する「ひとめぼれ」という品種が生まれました。ほかに、「ササニシキ」という品種も人気です。

サンマ

魚介類が豊富な三陸沖にある気仙沼港は、日本有数のサンマの漁獲量をほこります。サンマが光に集まる習性を利用して、日没から夜明けにかけて漁が行われます。

カジキ

宮城県は、水産業がさかんで、沿岸にたくさんの漁港があります。塩釜港などでとれるカジキ類の漁獲量は日本一です。カジキは大型の魚で、マグロににているため、カジキマグロともよばれます。

都道府県クイズ　Q8の答え　山形県、富山県、山梨県、和歌山県、岡山県、山口県の６つ。

歴史・伝統・文化

大崎八幡宮

大崎八幡宮は、1607年（江戸時代）、初代仙台藩主となった伊達政宗によって建てられました。うでのいい大工やほり師をまねき、12年かけて、ていねいにつくられています。安土桃山時代の文化を伝える最古の建築物として、1952年に国宝に指定されました。毎年1月に行われる「松焚祭り（どんど焼き）」は、仙台の風物詩です。

どんど焼きともいわれる松焚祭り

伝統工芸

こけし

こけしは、江戸時代の末期に、東北の温泉地に来ていた木工職人が、子どものおみやげ品としてつくったのがはじまりと言われています。つくられた地によって形や模様に特徴があります。宮城県では首を回すと鳴る「鳴子こけし」のほか、「遠刈田こけし」「弥治郎こけし」「作並こけし」「肘折こけし」の5つの系統があります。

もっと知りたい！

伊達政宗

戦国時代末期に活躍した戦国武将で、初代仙台藩の藩主だよ。子どものころに病気で右目を失明したけれど、学問も武術もがんばって、りっぱな武将になったんだ。そのすがたから、「独眼竜」と言われたよ。政宗の遺言で、肖像や銅像では、両目が開いているんだ。

秋田県

「あきたこまち」の生産がさかんな日本有数の米どころ、秋田県。
面積の７割が森林で、木材の産地としても有名です。

都道府県クイズ **Q9の答え** 千葉県。東京に隣接する千葉県浦安市にある。

これも竿燈?

かた手で持ちあげてるー!!

大きくて12mもある竿燈を持ちあげる五つの基本技があるのよ
流し
額
腰
肩
平手

中には口やあごなんて人もいるみたい
ねえちゃん、見て~

じゃん
秋田名物きりたんぽで竿燈だい!
食べ物で遊ばないー!!

交通

道路

東北自動車道、秋田自動車道、日本海東北自動車道などで県内を移動できる。

鉄道

新幹線で、岩手県や東京都などへ行くことができる。

空路、海路

秋田空港から、飛行機で東京都、愛知県、大阪府などへ行くことができる。秋田港から、フェリーで北海道や新潟県へ行くことができる。

秋田スギ

木目が美しいと言われる秋田スギ。

八郎潟干拓地

ハタハタ

なまはげ

県庁所在地

秋田市

基本データ

県庁所在地	秋田市
面積	約11638km²
人口	約97万人
県の花	フキノトウ
県の鳥	ヤマドリ
県の木	アキタスギ

都道府県クイズ Q10 日本で二番目に大きい島の名前は?

自然・環境

八郎潟干拓地

八郎潟は、日本で2番目に大きい湖でした。第二次世界大戦後の米不足を解消するため、干拓(中の水をぬいて陸地をつくる)によって農地がつくられました。そこに、1964年、大潟村が生まれました。その後、米の生産をへらす政策がとられたこともあり、今では、お米だけではなく、メロンや大豆なども生産しています。

はじめは田んぼがつくられたんだね

産業

比内地鶏

秋田県で広く飼育されていた比内鶏は成長がおそく、国の天然記念物にも指定されたため、早く成長する種と交配して食肉用の比内地鶏を育成しました。ストレスがかからないように、手間のかかる放し飼いでのびのび育てています。秋田の名物であるきりたんぽなべにも、欠かせない材料です。

比内地鶏を使った親子丼

米

秋田県は、昼と夜の温度差や、日照時間の長さ、奥羽山脈から流れる川によって育まれた豊かな土壌など、米をつくる環境がそろっているといわれます。秋田平野や横手盆地などで、全国的に人気のあきたこまちなどが栽培されています。

たいた米をつぶしてつくるきりたんぽ

ハタハタ

ハタハタは、20㎝ほどの魚で、12月ごろに産卵のため、男鹿半島にむれをなしておしよせます。男鹿半島の冬の風物詩です。

歴史・伝統・文化

なまはげ

なまはげは、男鹿半島に伝わる伝統行事です。大みそかの晩に、鬼の面をかぶり、なまはげに扮した若者たちが、「ウォー」とうなり声をあげ、大声で「悪い子はいねがー」などと言いながら、家をまわります。子どもにとってはこわい存在ですが、なまはげは、厄をはらって、無病息災や豊作をもたらす神とされています。

悪い子をさがしてまわるなまはげ

伝統工芸

曲げわっぱ

曲げわっぱは、弾力性のある秋田スギをうすくはぎ、曲げて輪にしてつくる容器です。ぬいとめるのに、山桜の樹皮を使います。曲げわっぱは、奈良時代に、きこりがお弁当箱としてつくったのが始まりといわれています。江戸時代、大館の城主が、まずしかった武士の副業として、豊富な山の資源を使った曲げわっぱづくりをすすめたことで、広まりました。

もっと知りたい!

かまくら

かまくらは、横手市で2月に行われる水神さまをまつる行事だよ。雪でつくったドームの中に子どもたちが入って、通りがかった人に「入ってたんせ(入ってください)」などと声をかけてまねき、あま酒などをふるまうんだ。市内には、100基ものかまくらがつくられるよ。

Q11 関東地方で、海に面していない都道府県はいくつある?

山形県

面積のほとんどが山地で、サクランボと洋ナシの生産量が日本一の山形県。将棋のコマの生産量も日本一です。

西洋ナシ
収穫量は全国一位。

サクランボ

将棋こま

松尾芭蕉
有名な句「閑さや岩にしみ入る蝉の声」は、山形市の立石寺で詠まれた。

県庁所在地
山形市

蔵王山

花笠まつり
「花笠音頭」に合わせておどり歩く祭り。山形の夏の風物詩。

みんなで楽しく芋煮会

※実際にあるお祭です。

交通

道路
山形自動車道、東北中央自動車道、日本海東北自動車道などで県内を移動できる。

鉄道
新幹線で、福島県や東京都などへ行くことができる。

空路
山形空港と庄内空港から、飛行機で東京都、大阪府などへ行くことができる。

芋煮
サトイモを煮込んだ郷土料理。秋には、野外で芋煮会が開かれる。

基本データ

県庁所在地	山形市
面積	約9323㎢
人口	約108万人
県の花	ベニバナ
県の鳥	オシドリ
県の木	サクランボ

Q12 プロサッカークラブ、アントラーズの本拠地はどこの都道府県？

自然・環境

蔵王山

山形県と宮城県にまたがる山で、山形県側は山形蔵王といいます。冬には、樹氷が見られます。樹氷は、水分をふくんだ雪が樹木のえだや葉についてこおり、それがくりかえされて大きくなってできます。生き物にも見えることから、「スノーモンスター」ともいわれています。

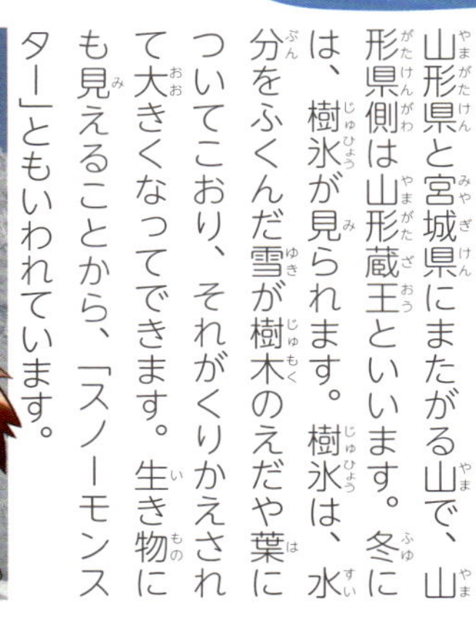

産業

サクランボ

サクランボの生産量は全国の約7割をしめます。サクランボのなかでも最高級品といわれる佐藤錦は、東根市でうまれました。

紅花

紅花はキク科の花で、黄色い花をさかせ、花弁から口紅や染料のもとになる赤色の色素がとれます。江戸時代に、紅花商人の活躍によって、京都や大阪に出荷されたことで、最上川流域は一大産地となりました。現在生産量日本一の白鷹町では、紅花のつみとりや紅花ぞめの体験ができます。

紅花畑

米

米づくりに適しているといわれる庄内平野では、山形県のブランド米である「はえぬき」や「つや姫」などが栽培されています。

歴史・伝統・文化

出羽三山

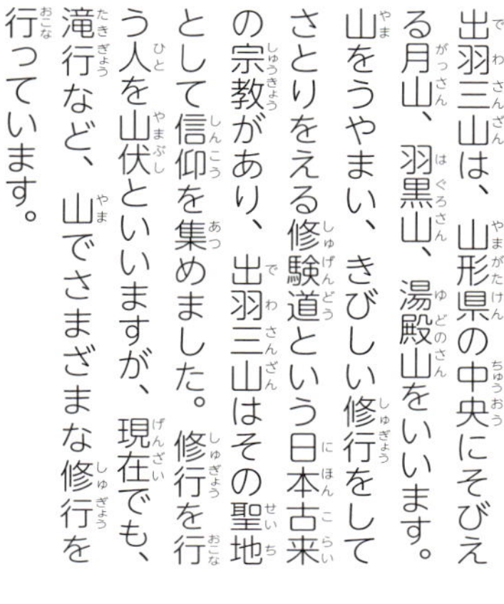

出羽三山は、山形県の中央にそびえる月山、羽黒山、湯殿山をいいます。山をうやまい、きびしい修行をしてさとりをえる修験道という日本古来の宗教があり、出羽三山はその聖地として信仰を集めました。修行を行う人を山伏といいますが、現在でも、滝行など、山でさまざまな修行を行っています。

修行を行う人々

伝統工芸

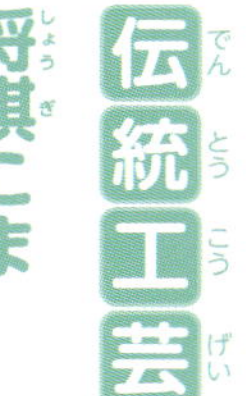

将棋こま

天童市では、江戸時代後期、苦しい財政を立て直すために、武士の副業としてこまづくりが始まりました。こまには、文字を書く「書きごま」、文字をほる「ほりごま」、ほった部分をうるしでうめる「ほりうめごま」、うめた部分をさらに盛り上げる「盛り上げごま」といった種類があります。形を作る、書く、ほる、盛り上げるといったそれぞれの作業を行う職人がいます。

もっと知りたい！

松尾芭蕉の句

松尾芭蕉は、江戸時代の俳人で、旅をしながら俳句をよんでいたよ。なかでも、山形市の立石寺でよんだ「閑さや岩にしみ入る蝉の声」の句が有名。最上川でも、「五月雨を集めて早し最上川」という句をよんでいるよ。感動した思いを俳句で表しているんだね。

立石寺の芭蕉像

都道府県クイズ Q13 日本で二番目に、面積が小さい都道府県は？

福島県

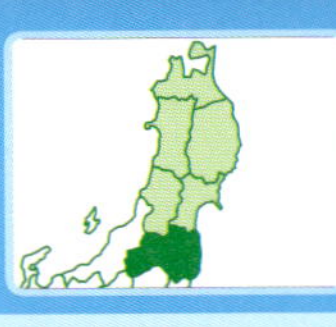

日本で三番目に大きい（面積）福島県。東北地方の南の玄関口と言われ、モモなどの果物づくりや米づくりがさかんです。

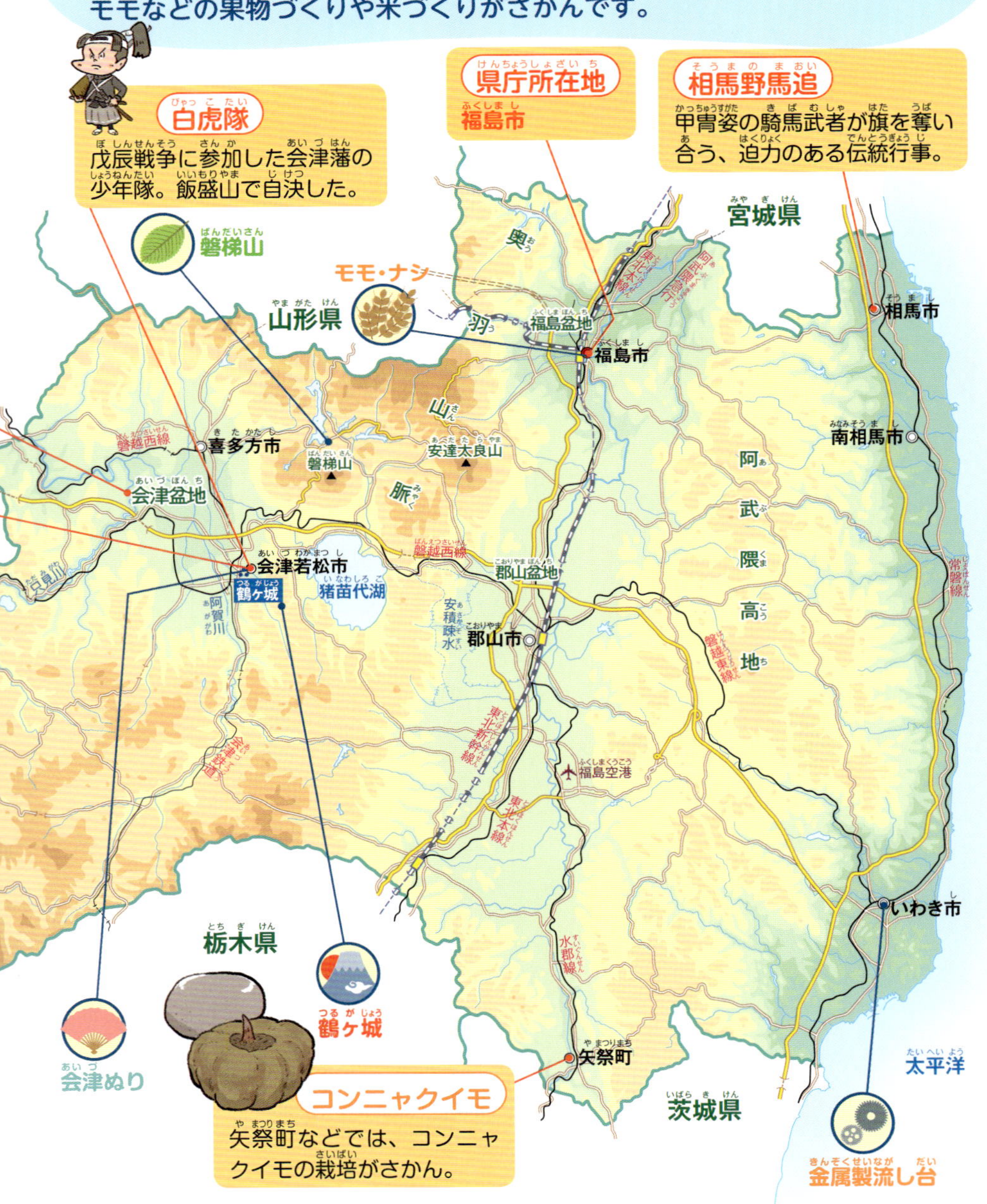

白虎隊

戊辰戦争に参加した会津藩の少年隊。飯盛山で自決した。

県庁所在地

福島市

相馬野馬追

甲冑姿の騎馬武者が旗を奪い合う、迫力のある伝統行事。

コンニャクイモ

矢祭町などでは、コンニャクイモの栽培がさかん。

都道府県クイズ　Q13の答え　大阪府

相馬野馬追で大こうふん!!

交通

道路
東北自動車道、磐越自動車道、常磐自動車道などで県内を移動できる。

鉄道
新幹線で、山形県や東京都などへ行くことができる。

空路
福島空港から、飛行機で北海道や大阪府へ行くことができる。

米
会津盆地では、コシヒカリなどの栽培がさかん。

赤べこ
会津地方の郷土玩具。「べこ」はウシのこと。

新潟県

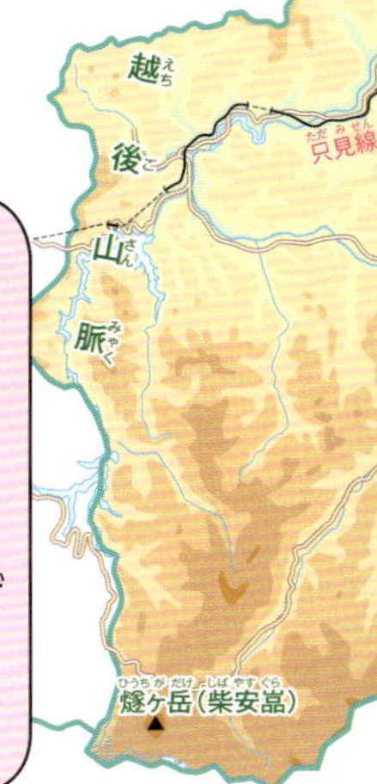

基本データ

県庁所在地	福島市
面積	約13784㎢
人口	約185万人
県の花	ネモトシャクナゲ
県の鳥	キビタキ
県の木	ケヤキ

都道府県クイズ Q14 鳥取砂丘は日本で何番目に広い砂丘？

自然・環境

磐梯山

磐梯山は、猪苗代町、磐梯町、北塩原村にまたがる火山で、南側は表磐梯、北側は裏磐梯とよばれ、表磐梯は会津富士ともいわれる美しい山の形をしていますが、裏磐梯は荒々しいすがたをしています。

夏の表磐梯よ!

産業

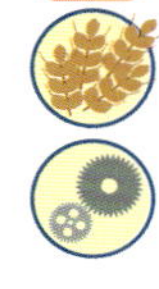

モモ

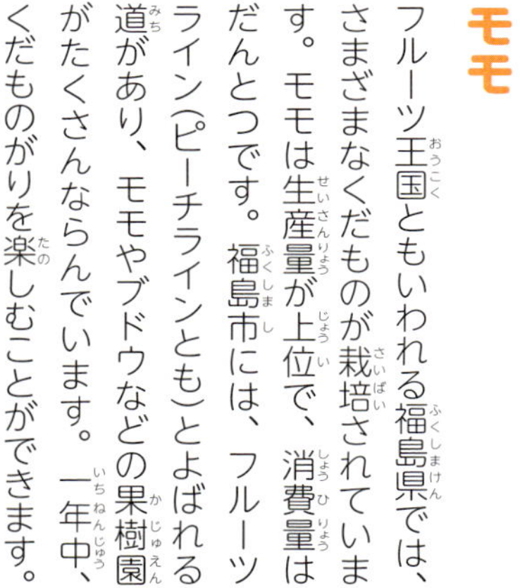

フルーツ王国ともいわれる福島県では、さまざまなくだものが栽培されています。モモは生産量が上位で、消費量はだんとつです。福島市には、フルーツライン(ピーチラインとも)とよばれる道があり、モモやブドウなどの果樹園がたくさんならんでいます。一年中、くだものがりを楽しむことができます。

ナシ

ナシも、福島県を代表するくだものです。年間の収穫量は約2万トンで、千葉、茨城、栃木に続き、全国で4位の収穫量をほこります。くだものには、あたたかい気候で育つものと寒い気候で育つものがあります。福島市は、両方の気候をかねそなえているため、季節ごとのくだものを生産することができるのです。

金属製流し台・調理台・ガス台

いわき市は、積雪が少なく、温暖な気候で、東北でも有数の工業都市です。キッチン関連用品を製造する会社の工場がいわき市に集中していることもあり、流し台などの出荷数が日本一となっています。

Q14の答え　二番目

歴史・伝統・文化

鶴ケ城

幕末に起きた戊辰戦争(旧幕府軍と、新政府軍とのたたかい)で、旧幕府軍についた会津藩は、新政府軍に抵抗し、鶴ケ城にたてこもりました。城は、新政府軍の1か月におよぶこうげきにたえ、難攻不落の名城とうたわれます。その後、取りこわされますが、1965年に再建され、2011年にかわらも赤いものに変えられ、当時の城の姿がよみがえりました。

再建された鶴ケ城

伝統工芸

会津ぬり

会津ぬりは、木製のものにうるし(木の樹液からできた塗料)をぬりかさねてつくる漆器です。安土桃山時代から生産を始め、江戸時代には、中国やオランダに輸出されていました。ごうかな装飾(加飾)が特徴で、うるしで絵をえがいた上に金や銀の粉をまく蒔絵や、文様をほって金ぱくをおしこむ沈金など多くの技法があります。

もっと知りたい!

白虎隊

白虎隊は、戊辰戦争のときに、会津藩の16~17歳の男子で組織された部隊だよ。その中の一部隊がこうげきを受けて飯盛山ににげたんだけど、このまま負けてつかまるのはいやだと、その場でみんな自決してしまったんだ。飯盛山には彼らのお墓があるよ。

都道府県クイズ Q15 マンガ家、水木しげるが育った境港市がある都道府県は? (←答えは 58 ページ)

おさらいクイズ

シルエットクイズ

北海道・東北地方の7つの都道府県のシルエットだよ！ それぞれ、どこかわかるかな？

バラバラになるとむずかしいね！ 海岸や半島の形を覚えておくとわかりやすいよ！
1
2
3
4
5
6
7

※シルエットは簡略化してあります。

北海道・東北地方

いろいろクイズ

北海道・東北地方のクイズにチャレンジ!
3つの中から選んでね!

さあ、おさらいクイズにチャレンジだよ!

北海道

飼育数が日本一なのは、肉用牛と何?

1. 肉用豚
2. 乳用牛
3. 肉用鶏

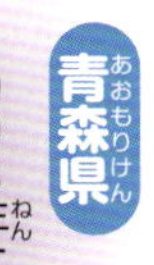

青森県

1993年に世界自然遺産に登録された山地はどこ?

1. 黒神山地
2. 白神山地
3. 青神山地

岩手県

小分けにされたそばをどんどん食べる岩手の名物料理は何?

1. わんこそば
2. おわんそば
3. おろしそば

秋田県

かまくらで有名な雪まつりが行われるのはどこ?

1. 横手市
2. 秋田市
3. 大館市

宮城県

牛タンは、牛のどこの部分?

1. 前足
2. しっぽ
3. 舌

山形県

天童市でさかんに作られているものはなに?

1. 碁石
2. 将棋こま
3. 刀剣

福島県

白虎隊が自決したのはどこの山?

1. 磐梯山
2. 安達太良山
3. 飯盛山

答えは、254ページにのっています。

面積ランキング

面積が大きい

- 1位 北海道（83424㎢）
- 2位 岩手県（15275㎢）
- 3位 福島県（13784㎢）

面積が小さい

- 1位 香川県（1877㎢）
- 2位 大阪府（1905㎢）
- 3位 東京都（2194㎢）

北海道がとびぬけて大きいことがわかるね！

森林の面積の割合が大きい

- 1位 高知県（83％）
- 2位 岐阜県（79％）
- 3位 山梨県（78％）

可住地の面積の割合が大きい

- 1位 大阪府（70％）
- 2位 千葉県（69％）
- 3位 埼玉県（68％）

※可住地面積……総土地面積から林野面積及び湖沼面積を差し引いた面積のこと。

人口ランキング

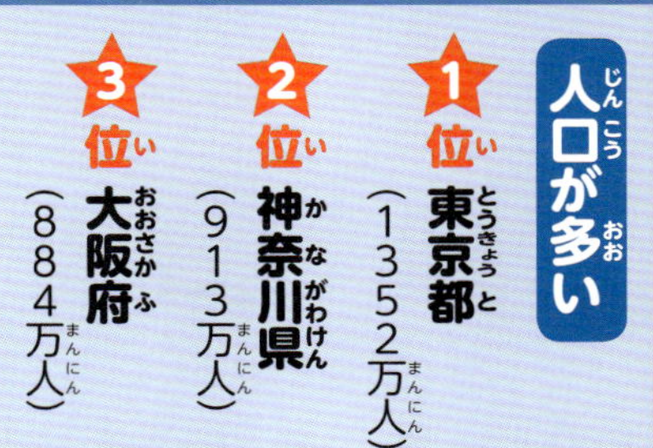

人口が少ない

1位 鳥取県（57万人）
2位 島根県（69万人）
3位 高知県（73万人）

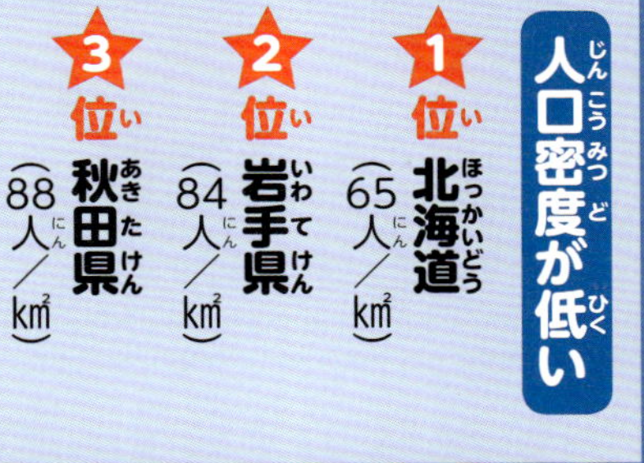

人口密度が高い

1位 東京都（6169人／㎢）
2位 大阪府（4640人／㎢）
3位 神奈川県（3778人／㎢）

東京は、せまい面積にたくさんの人が住んでいるんだね

※2020年度のデータを掲載しています。

人の集まる関東地方！

ねーねー
ケン兄って東京も行ったことあるんだよね
あこがれだよなーと・う・きょ・う！
キラキラしたビルにーかわいい女の子もいっぱいいそうだしさー

東京もふくまれる関東地方は日本でも最も人の多い地域だからね
関東地方に広がる関東平野は日本で一番広い平野なんだよ
伊豆諸島
小笠原諸島
ちなみにずっと南にある伊豆諸島や小笠原諸島も東京都なんだ
へー
関東平野
栃木県
群馬県
茨城県
埼玉県
千葉県
東京都
神奈川県

都道府県クイズ Q16 東大阪市の町工場で2009年につくりあげられた人工衛星の名前は？

茨城県

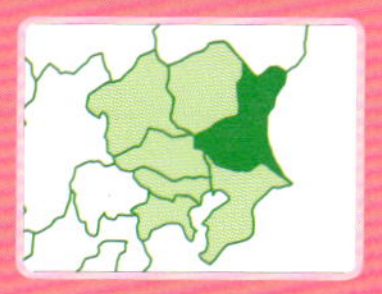

平野が多く、耕地面積が北海道の次に広い茨城県。
首都圏をささえる農業地帯です。太平洋側では工業もさかんです。

日本一の大仏!!

交通

道路

常磐自動車道や、北関東自動車道で県内を移動できる。

鉄道

ＪＲ常磐線、水郡線、水戸線、鹿島線などで県内を移動できる。

空路、海路

茨城空港から、北海道、兵庫県、福岡県、沖縄県などへ行くことができる。
大洗港から、フェリーで北海道へ行くことができる。

牛久大仏

世界一高い青銅製立像としてギネスに認定されている。

結城つむぎ

レタス

坂東市などでは、レタスの栽培がさかん。

群馬県

基本データ

県庁所在地	水戸市
面積	約6097㎢
人口	約286万人
県の花	バラ
県の鳥	ヒバリ
県の木	ウメ

都道府県クイズ Q17 プロ野球チーム、ホークスの本拠地はどこの都道府県？

自然・環境

霞ケ浦

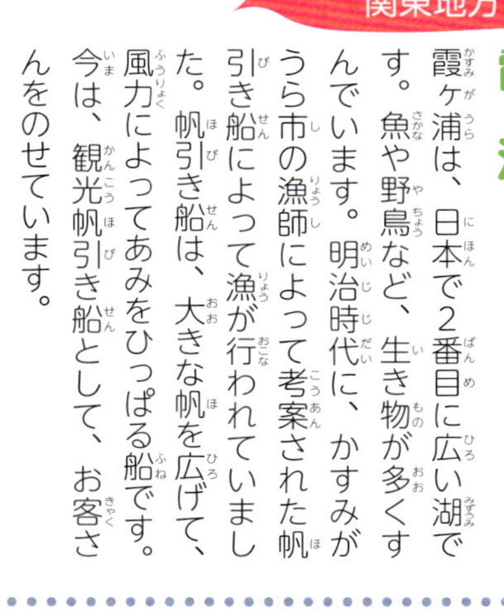

霞ケ浦は、日本で2番目に広い湖です。魚や野鳥など、生き物が多くすんでいます。明治時代に、かすみがうら市の漁師によって考案された帆引き船によって漁が行われていました。帆引き船は、大きな帆を広げて、風力によってあみをひっぱる船です。今は、観光帆引き船として、お客さんをのせています。

霞ヶ浦にうかぶ帆引き船

産業

メロン

鉾田市は、メロンの生産量が日本一です。あみ目のあるネットメロンを中心につくられています。ビニールハウスで栽培されますが、温度によってあみ目が変わるので、きれいなあみ目がつくように、温度管理に気をつけています。あまさも重要なので、市で開発したあまさをはかる光センサーを使って確認をして、味にばらつきが出ないようにしています。

温度によってあみ目の出方が変わるんだ!?

レンコン

生産量日本一のレンコンは、土浦市を中心に、ほとんどが霞ケ浦周辺でつくられています。蓮田とよばれる、水気の多い畑で栽培され、収穫をする人は胸まで水につかって作業します。レンコンは、あながあいているため、先の見通しが良い縁起の良いものと考えられ、お正月などおいわいのときに食べられます。そのため、毎年十二月に収穫のピークをむかえます。

納豆

水戸市では、もともと小粒の大豆の栽培がさかんで、農家では保存食として自家製の納豆をつくっていました。それを、駅でおみやげ用に売り出したことで人気が出て、全国的に広まりました。

歴史・伝統・文化

偕楽園

偕楽園は、1842年に、水戸の藩主だった徳川斉昭公によって、「民とともに楽しむ場所」として開園されました。百種類、約三千本の梅が植えられている、日本三名園のひとつです。梅まつりでは、早くさくものやおそくさくものなど、品種が多いので、長い期間楽しむことができます。梅以外にも、桜やツツジなど、季節の花を見ることができます。

伝統工芸

結城つむぎ

結城市を中心に生産される結城つむぎは、奈良時代に始まった日本最古の高級絹織物です。絹糸をつくる、そめる、織り機で織るなど、40もの工程がありますが、すべてを手作業で、昔と変わらない技法によって行っています。2010年に、ユネスコ無形文化遺産（世界的に価値があるとされる文化）に登録されました。

結城つむぎの着物

もっと知りたい！

JAXA筑波宇宙センター

JAXA（宇宙航空研究開発機構）筑波宇宙センターは、300をこえる研究機関などが集まるつくば市の筑波研究学園都市の中にあるよ。人工衛星やロケットなどの研究や開発をしたり、宇宙飛行士の訓練が行われているんだ。施設では、見学をしたり、訓練の体験ができるよ。

都道府県クイズ Q18 洋服の会社、ユニクロの本社がある都道府県は？

栃木県

関東で一番大きい（面積）栃木県。農業や酪農がさかんです。
世界文化遺産の日光の社寺には、たくさんの観光客がおとずれます。

ギョーザ日本一は？

交通

道路

東北自動車道で県の南北を、北関東自動車道で県の東西を移動できる。

鉄道

新幹線で、東京都、宮城県などと結ばれている。

ＪＲ以外では、東武鉄道の路線が発達している。

中禅寺湖

足尾銅山跡

江戸時代から約360年間、採掘が行われていた。足尾銅山鉱毒事件により閉山した。

ニラ

カメラ用レンズ

宇都宮市郊外に、カメラのレンズなどを製造する工場がある。

基本データ

県庁所在地	宇都宮市
面積	約6408㎢
人口	約193万人
県の花	ヤシオツツジ
県の鳥	オオルリ
県の木	トチノキ

Q19 広島県などで使われる「かぶてる」という方言の意味は？

自然・環境

中禅寺湖

標高が1000m以上ある中禅寺湖は、日本一高い場所にある湖で、日光市の日光国立公園の中にあります。およそ2万年前に、湖の北にある男体山が噴火してできました。湖の水が、97mの高さから流れ落ちる華厳の滝は人気スポットとなっています。エレベーターで、滝の上と下に行けるので、迫力満点の滝を間近に見ることができます。

華厳の滝

産業

カンピョウ

全国のカンピョウの9割以上が栃木県でつくられています。のりまきなどの具として知られるカンピョウは、ユウガオというウリ科の実を細長くむいて、かんそうさせてつくります。新鮮なものでないときれいにむけないので、収穫の時期には、早朝3時ごろから実を収穫して、すぐにむき、ビニールハウスの中にほしていきます。

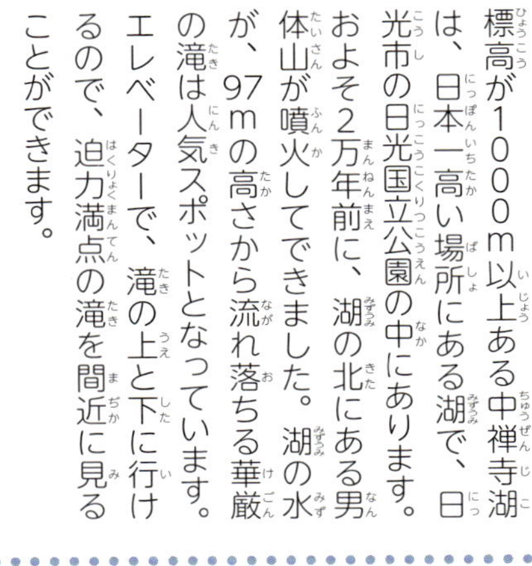

ほされたカンピョウ

イチゴ

イチゴの生産量は、1968年からずっとトップの座を守っています。イチゴを食べる人が多い東京などの首都圏が近いことも大きいと言えます。人気の高いとちおとめは、栃木県で生まれました。2012年には、スカイベリーという品種も開発されています。

ニラ

鹿沼市でつくられるニラは、生産量がトップクラスです。ニラは、かりとっても再びのびてきます。7回ほどかりとれるのですが、1回目から3回目のものは、あまさがあります。

歴史・伝統・文化

日光東照宮

日光東照宮は江戸幕府を開いた徳川家康がまつられている神社です。「見ざる、言わざる、聞かざる」で知られる三猿の彫刻や、500以上の彫刻がほられた陽明門などが有名です。定期的に修理が行われていて、2007年からは、「平成の大修理」が進められています。日光東照宮をふくむ日光山の神社や寺は、1999年に世界遺産に登録されました。

見ざる・言わざる・聞かざる

伝統工芸

益子焼

益子町周辺で、江戸時代の末期につくられはじめた焼き物です。日用品として使う陶器の生産で発達しましたが、現在は300をこえる窯元があり、日用品から美術品までさまざまな焼き物を作っています。あたたかみを感じるぽってりとしたそぼくな土の質感が特徴で、黒や茶色などのしぶい色が多く見られます。

益子で開かれる陶器市

もっと知りたい！

足尾銅山跡

明治時代、渡良瀬川の上流にあった足尾銅山(資源を掘り出す作業場)から出た排水やけむりが原因で、川の魚が死んだり、稲がかれたりする被害が出たんだよ。日本で最初に起こった公害なんだ。当時国会議員だった田中正造がみんなのために動いて、1973年に鉱山は閉鎖されたんだよ。

都道府県クイズ Q20 日本一、店の数が少ない鳥取県。ではその店の数は5000店より多い？ 少ない？

群馬県

日本一流域面積の大きい川、利根川の源流がある群馬県。コンニャクイモの収穫量や、まゆの生産量が日本一です。

草津の湯もみ

交通

道路

関越自動車道で県の南北を、北関東自動車道や上信越自動車道で県の東西を移動できる。

鉄道

新幹線で、東京都、新潟県、石川県などと結ばれている。
ＪＲ以外では、東武鉄道の路線が発達している。

草津温泉

湯量が多く、温度の高い湯が出る、関東有数の温泉地。

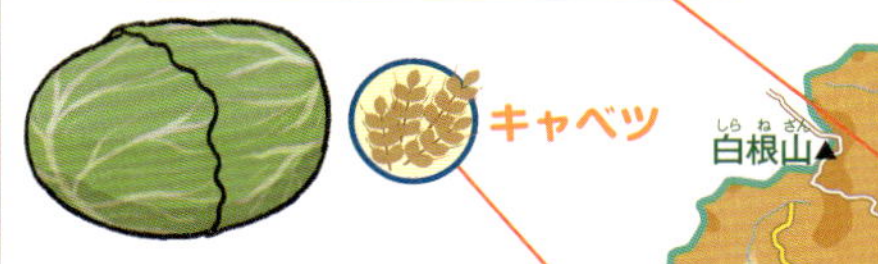

基本データ

県庁所在地	前橋市
面積	約6362㎢
人口	約194万人
県の花	レンゲツツジ
県の鳥	ヤマドリ
県の木	クロマツ

都道府県クイズ Q21 大阪府の万博記念公園にある太陽の塔をつくった人はだれ？

自然・環境

尾瀬

尾瀬は、群馬県、栃木県、福島県、新潟県の4県にまたがる本州最大の山岳湿原（水でしめった草原）です。ミズバショウやニッコウキスゲなどをはじめ、900種類以上の植物が見られます。ここでしか見られないめずらしい植物もあり、植物の宝庫となっています。鳥やこん虫もたくさんいます。

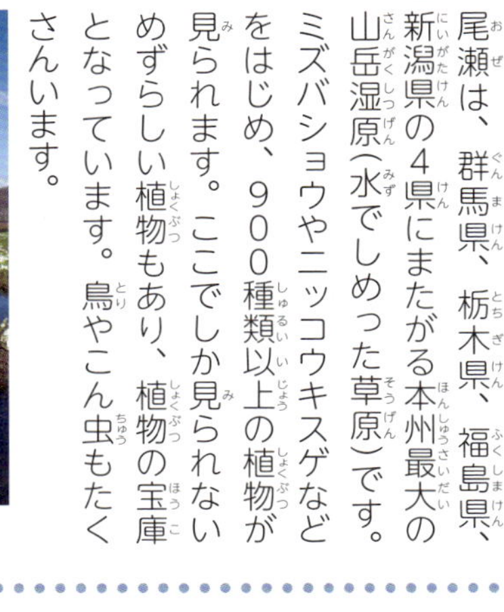

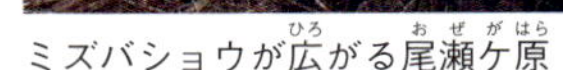
ミズバショウが広がる尾瀬ケ原

産業

コンニャクイモ

コンニャクイモは、そのまま食べずに、コンニャクの原料として使われる作物です。コンニャクイモは3年かけて育てられます。収穫したら、スライスしてかわかし、粉にします。この粉にお湯などを入れてこねると、コンニャクになります。下仁田町は、コンニャクイモを粉にする技術が発達していたため、生産がさかんになりました。

これから
コンニャクが
できるんだね

キャベツ

浅間山の山ろくにある嬬恋村では、すずしい気候を利用して高原野菜が栽培されています。とくにキャベツの生産はトップクラスです。キャベツの収穫時期には、キャベツロードともいわれる嬬恋パノラマラインの左右に、一面のキャベツ畑が広がります。

アイスクリーム

高崎市には、ハーゲンダッツをつくっているタカナシ乳業の工場があり、伊勢崎市には、明治の群馬工場があるなど、アイスクリームの製造がさかんです。群馬県のアイスクリームの出荷額はトップクラスで、アイスクリーム王国とも言われます。

都道府県クイズ　Q21の答え　岡本太郎

歴史・伝統・文化

富岡製糸場

明治時代、政府は、輸出量のふえた生糸の品質を上げようと考えて、1872年、養蚕がさかんだった富岡市に近代的な製糸工場(かいこのまゆから生糸をつくる工場)をつくりました。ヨーロッパの技術を取り入れて、作業を機械化したことで、質のよい生糸が大量に生産できるようになりました。2014年、世界文化遺産に登録されています。

伝統工芸

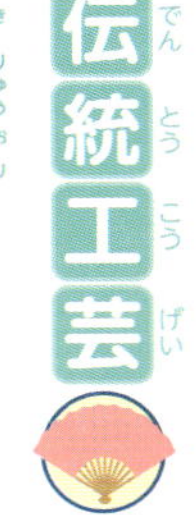

桐生織

桐生織は、桐生市の特産品である絹織物です。奈良時代に、初めて絹を織って朝廷に差し出したことが始まりといわれています。江戸時代までは、織物といえば京都の西陣織りが人気でした。そこで、京都の織物師を桐生にまねいて指導を受け、その技術を導入しました。独自に技術も開発し、「西の西陣、東の桐生」といわれるまでに発展したのです。

のこぎり屋根が特徴的な織物工場

もっと知りたい!

高崎だるま

だるまづくりは、高崎市を中心に、200年前から養蚕農家の副業として始まったよ。養蚕農家では、カイコが脱皮することを、「起きる」と言っていたんだけど、その言葉にかけて、商売繁盛を願い、たおれても起き上がるだるまを大切な守り神としてまつってきたんだよ。

Q22 大阪で栽培がさかんなシュンギクは、別名なんとよばれている?

埼玉県

東京都のベッドタウンとして栄え、交通・道路網が発達している埼玉県。深谷ネギなどの近郊農業がさかんです。

秩父の夜祭

交通

道路

関越自動車道や東北自動車道で県の南北を移動できる。

鉄道

新幹線で、東京都、新潟県、宮城県などと結ばれている。
ＪＲ以外では、東武鉄道や西武鉄道の路線が発達している。

ユリ

深谷市では、ネギのほかにもユリの栽培がさかん。

長瀞渓谷

基本データ

県庁所在地	さいたま市
面積	約3798㎢
人口	約735万人
県の花	サクラソウ
県の鳥	シラコバト
県の木	ケヤキ

都道府県クイズ Q23 文房具の会社、コクヨの本社がある都道府県は？

自然・環境

長瀞渓谷

長瀞渓谷は、荒川の上流にあり、全長が6㎞におよびます。夏は、ライン下りやカヌー、カヤックなどの川遊びが人気です。荒川にかかる橋には、蒸気機関車も走っています。また、岩が何重にも重なって、たたみをしきつめたように見える岩畳は、名勝・天然記念物に指定されています。

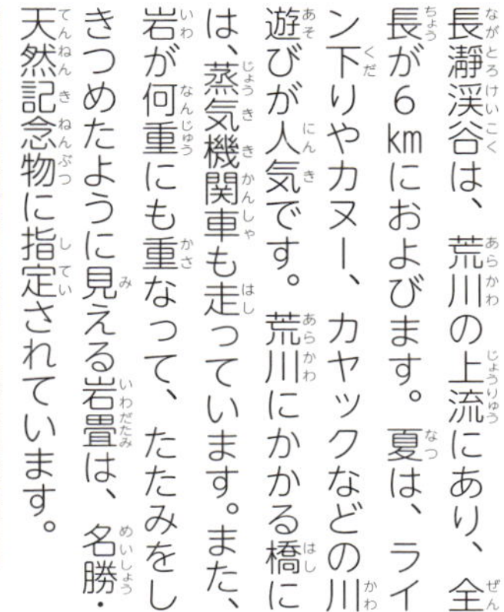

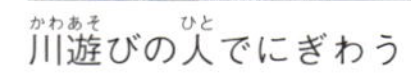

川遊びの人でにぎわう

産業

こいのぼり

こいのぼりの生産量が日本一の加須市では、こいのぼりのすばらしさをアピールするため、ジャンボこいのぼりをつくりました。全長が100mにもなる大きなこいのぼりは、毎年5月3日に、大型のクレーン車を使ってつり上げられて、大空をおよぎます。

ジャンボこいのぼり

コマツナ

埼玉県では、消費が大きい首都圏に販売する野菜をたくさん栽培しています。このように都市の近くで行われる農業を近郊農業と言います。全国でトップクラスの生産量をほこる野菜も多く、八潮市などでさかんにつくられるコマツナもそのひとつです。旬は冬ですが、一年を通じて栽培されています。

ネギ

埼玉県は、日本有数のネギの産地です。なかでも、深谷でつくられる深谷ネギが、有名です。白い部分が30㎝以上あって、あまみが強いのが特徴です。深谷ネギは「春ネギ」「夏ネギ」「秋冬ネギ」とあって、一年中つくられています。

歴史・伝統・文化

さきたま古墳群

行田市にあるさきたま古墳群には、日本最大の円墳（円形の古墳）である丸墓山古墳など、９つの大きな古墳が残されています。古墳は、土をもり上げてつくった古墳時代（１５００年ほど前）のお墓です。丸墓山古墳と稲荷山古墳の２つは、上にのぼって、行田市内を一望することができます。

古墳は昔のお墓なんだ

伝統工芸

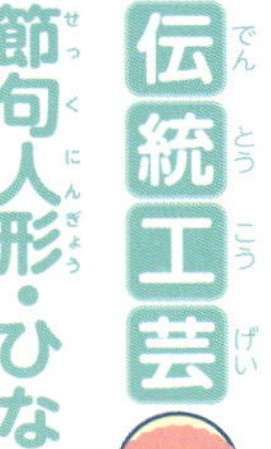

節句人形・ひな人形

さいたま市岩槻区は、ひな人形や節句人形など、人形づくりがさかんです。日光東照宮（67ページ）をつくるために集められたうでのいい職人のなかに、岩槻にすみつく人がいて、そこに人形師もいたことで、人形づくりが始まったと言われています。夏に行われる岩槻まつりでは、高さ８ｍのジャンボひなだんが登場して、貴族や武士に仮装した市民35人が、だんの上にすわります。

もっと知りたい！

川越市の小江戸

江戸時代、川越は、江戸からの荷物を舟で運ぶことで、江戸と関係が深くなり、江戸の文化が入っていったよ。江戸ににた町なみとなり、栄えたことから、小さな江戸の意味で、小江戸とよばれるようになったんだ。今も、江戸を思わせるような町なみが残っていて、人気の観光地だよ。

タイムスリップしたような町なみ

Q24 日本で一番大きな中華街はどこの市にある？

千葉県

海に囲まれた千葉県。漁業、農業、工業と幅広い産業がさかんで、東京のベッドタウンとしても発展しています。

都道府県クイズ Q24の答え 神奈川県の横浜市。

成田は空の玄関口

交通

道路

東関東自動車道、京葉道路、館山自動車道などで県内を移動できる。
東京湾アクアラインで、神奈川県へ行くことができる。

鉄道

ＪＲ総武本線、常磐線、内房線、外房線などで県内を移動できる。
ＪＲ以外では、京成電鉄などの路線が発達している。

空路、海路

成田国際空港から、国内外の様々な都市へ行くことができる。
金谷港から、フェリーで神奈川県へ行くことができる。

谷津干潟
数多くの渡り鳥の中継地となっている干潟。

県庁所在地
千葉市

東京湾アクアライン
木更津市から、神奈川県川崎市につながる自動車道。

基本データ

県庁所在地	千葉市
面積	約5158㎢
人口	約626万人
県の花	ナノハナ
県の鳥	ホオジロ
県の木	マキ

都道府県クイズ Q25 ご当地キャラ「くまモン」が活躍している都道府県は？

自然・環境

九十九里浜

太平洋に面した九十九里浜は、一年中サーファーが集まる、人気の海水浴場です。砂浜の全長は約66㎞で、日本一長い砂浜です。鎌倉時代の将軍、源頼朝の命令で、砂浜に一里ごとに矢を立てて距離をはかったところ、99本の矢が立ったことで、九十九里浜とよばれるようになったと言われています。

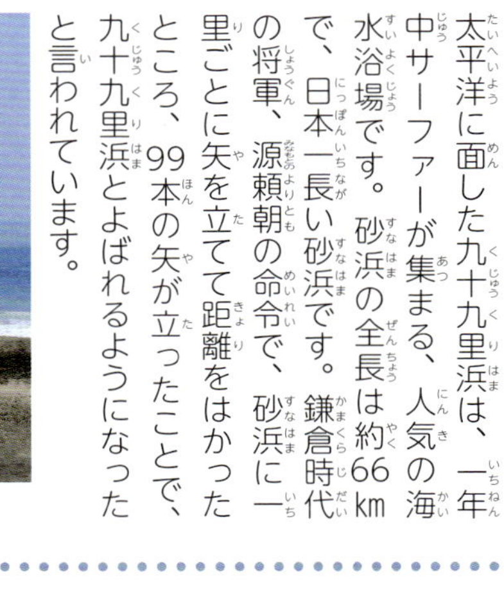

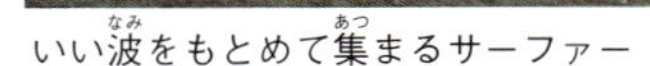

いい波をもとめて集まるサーファー

産業

ナシ

千葉県は、土や気候などがナシの栽培にあっていて、日本一の栽培面積や生産量をほこっています。江戸時代から栽培が始まって、ナシづくりの技術を高めてきました。なかでも市川市でつくられるナシは、甘くておいしいと人気です。

江戸時代から栽培されている

ラッカセイ

ラッカセイは千葉県の代表的な特産品で、その生産量は、全国の約8割をしめます。生産の中心である八街市のラッカセイは味も品質も日本一と言われています。ピーナッツとして食べるほか、油の原料としても利用されています。

しょうゆ

利根川と江戸川にはさまれる位置にある野田市は、江戸時代、川を使った運送がさかんで、しょうゆの材料である大豆や小麦、塩が手に入りやすかったため、しょうゆづくりが発達しました。つくったしょうゆも、川ですぐに江戸に運ぶことができ、しょうゆの町として発展しました。また、銚子市でもしょうゆづくりがさかんです。

歴史・伝統・文化

加曽利貝塚

貝塚というのは、古代のゴミ捨て場のあとで、当時の人びとが捨てた貝がらや魚、動物のほねなどが積み重なってできています。加曽利貝塚は、縄文時代(5000~3000年前)のもので、その大きさが日本最大規模となっています。発掘された石器や土器などが見られるので、当時の生活をうかがうことができます。

昔の家のあとも残っているんだって!

伝統工芸

房州うちわ

房州うちわは、丸い形と、編んだ竹でできた半円のまどが特徴です。生産地の館山市や南房総市は、江戸時代、うちわの材料の竹を江戸に出荷する竹の産地でした。明治時代に、房州うちわの生産が始まり、東京から職人をやとったことで拡大していきました。房州うちわは、京都府の京うちわ、香川県の丸亀うちわ(203ページ)と合わせて日本三大うちわと言われています。

もっと知りたい!

銚子漁港

房総半島の東のはしにある銚子港は、日本有数の漁港で、水揚げから加工まで行われているよ。イワシやサバ、サンマ、カツオ、マグロなど、季節ごとにいろいろな魚が水揚げされるんだ。漁港周辺のお店には、とれたての魚料理を食べに観光客がおとずれるよ。

都道府県クイズ Q26 日本で二番目に、人口の多い都道府県は?

東京都

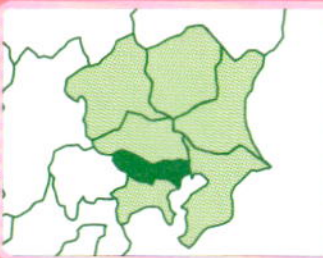

日本の中心地、東京都。政治・経済・文化の中心で、せまい面積に、日本の人口の約１割がくらしています。※日本の首都は、東京23区です。

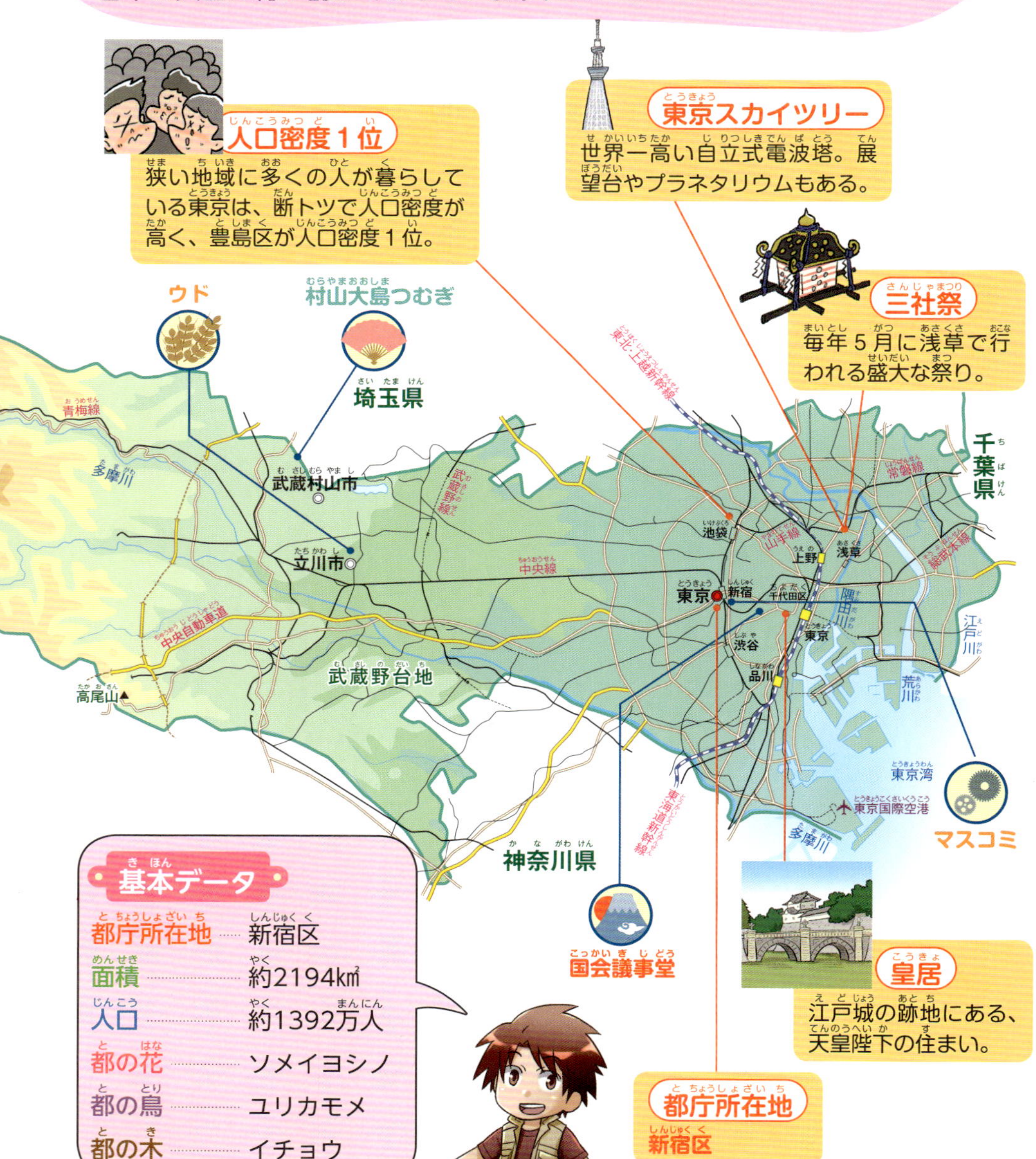

人口密度１位

狭い地域に多くの人が暮らしている東京は、断トツで人口密度が高く、豊島区が人口密度１位。

東京スカイツリー

世界一高い自立式電波塔。展望台やプラネタリウムもある。

三社祭

毎年５月に浅草で行われる盛大な祭り。

皇居

江戸城の跡地にある、天皇陛下の住まい。

都庁所在地

新宿区

基本データ

都庁所在地	新宿区
面積	約2194㎢
人口	約1392万人
都の花	ソメイヨシノ
都の鳥	ユリカモメ
都の木	イチョウ

都道府県クイズ Q26の答え 神奈川県

世界一の電波塔！

交通

道路

都心部の環状線から、放射状に高速道路がのび、周辺の県へ行くことができる。

鉄道

新幹線で、青森県、大阪府、福岡県、新潟県などと結ばれている。
ＪＲ以外にも、私鉄各線、地下鉄などの鉄道網が発達している。

空路、海路

羽田の東京国際空港から、国内外の様々な都市へ行くことができる。
東京港から、フェリーで伊豆諸島や小笠原諸島へ行くことができる。

都道府県クイズ Q27 天文学で使われる88個の星座のうち、84星座が観測できる沖縄最南端の島の名前は？

自然・環境

小笠原諸島

小笠原諸島は、東京の南にあって、都心から約1000kmはなれたところにある島じまです。フェリーで約24時間かかります。日本列島から遠くはなれていて、人の手が入らなかったため、独自の進化をとげた生き物や植物など、ここにしかいないめずらしいものがたくさん見られます。2011年に、世界自然遺産に登録されました。

無人島の南島

産業

マスコミ

東京都には、銀行や商社やお店や工場などいろいろな産業があり、とてもさかんです。中でもマスコミといわれる放送局(テレビ局やラジオ局)、新聞社、本などの印刷・出版社、スマートフォンなどの通信社の、主な会社はほとんど東京にあります。たとえばテレビはNHKや民放のキー放送局があり、新聞社も4大新聞社があります。また、印刷やその関連の生産高は全国一です。

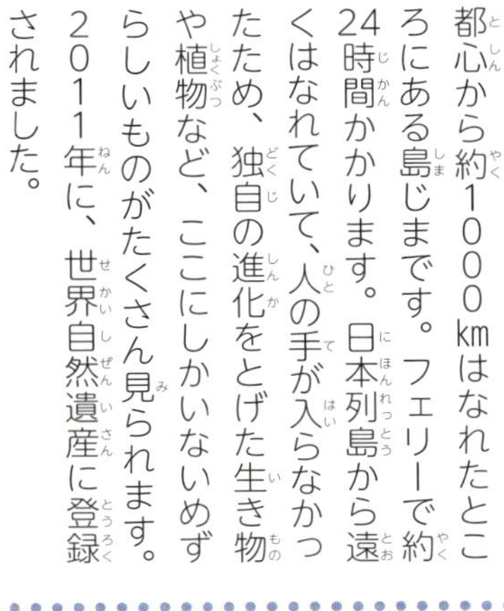

マスコミは東京に集中しているんだね

ウド

東京では、江戸時代からウドを栽培するようになりました。立川市を中心に栽培されている東京ウド(白ウド)は、太陽の光が入らない、地下3mのあなぐらで育てます。

ツバキ

伊豆大島は、ツバキの島として有名で、島では、約1500種類のツバキを見ることができます。大島ツバキの実からとれるツバキ油は、特産品で、化粧品や食用に使われます。ツバキのさく季節には、椿まつりが行われ、多くの観光客がおとずれます。

歴史・伝統・文化

国会議事堂

国会議事堂は、日本の政治の中心となる場所です。国の代表として選ばれた人たち（国会議員）が集まって、国民の生活や外国とのやりとりについて話しあったり、法律やお金の使い方（予算）などを決めます。国会議事堂では、見学ツアーが行われていて、話し合いを行う場所や天皇陛下が静養される場所などを見ることができます。

伝統工芸

村山大島つむぎ

村山大島つむぎは、武蔵村山市の周辺でつくられている絹織物です。鹿児島県の奄美大島でつくられる大島つむぎににているため、この名前がつきました。あらかじめ染め分けた絹糸を使って織ることで文様を出します。糸は、織る方向によってちがう工程の準備が必要です。完成までの工程は40以上あり、長い時間をかけてつくられます。東京都指定無形文化財に登録されています。

もっと知りたい！

人口密度1位

人口密度は、その地域にいる人のこみ具合をいうよ。東京都は面積が日本で3番目に小さいのに、人口はふえ続けていて、全国で一番多いんだよ。人口密度がトップなのも当然だよね。東京都のなかでも、豊島区が一番人口密度が高い地域だよ。

人でにぎわう渋谷の駅前

Q28 泡が出ることから「ラムネの湯」といわれる温泉がある都道府県は？

神奈川県

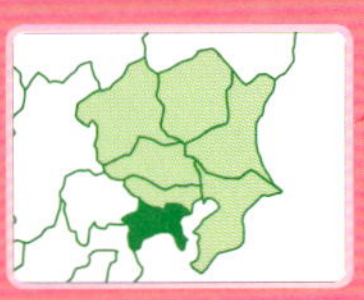

東京都の次に人口の多い神奈川県。横浜、鎌倉、箱根など特色ゆたかな町は、観光地としても人気があります。

シャンプー・リンス
京浜工業地帯にはシャンプー・リンスの工場が多く、出荷額は日本一。

県庁所在地
横浜市

横浜中華街
日本最大の中華街。多くの観光客でにぎわう。

マグロ
三崎港では、遠洋でとれたマグロが水揚げされる。

基本データ

県庁所在地	横浜市
面積	約2416㎢
人口	約919万人
県の花	ヤマユリ
県の鳥	カモメ
県の木	イチョウ

都道府県クイズ **Q28の答え** 大分県。「ラムネの湯」は、七里田温泉にある。

鎌倉観光しよう♪

交通

道路

首都高速道路、東名高速道路などで県内を移動できる。東京湾アクアラインで、千葉県へ行くことができる。

鉄道

新幹線で、静岡県、愛知県、大阪府などと結ばれている。JR以外にも、私鉄各線、地下鉄などの鉄道網が発達している。

海路

久里浜港から、フェリーで千葉県へ行くことができる。

都道府県クイズ Q29 岩手県などで使われる「がっこ」という方言の意味は？

自然・環境

箱根町

箱根町は、江戸時代の交通の主要な関所（通る人を検査する場所）でした。箱根旧街道の石畳は、江戸時代のはじめに、整備されたものです。自然が豊かで、箱根山や富士山をのぞめる芦ノ湖、ススキの名所の仙石原などがあります。温泉も数多くあり、日本を代表する温泉地として有名です。ケーブルカーやロープウェイ、観光船などの乗り物も楽しむことができます。

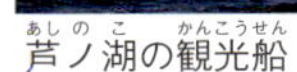
芦ノ湖の観光船

産業

アユ

神奈川県のアユの漁獲量は日本一です。とくに、厚木市の相模川、中津川、小鮎川はアユが豊富で、相模川はアユ川ともいわれています。アユがとれる季節には多くのつり人でにぎわいます。アユ祭りでは、アユに感謝をして花火が打ち上げられます。

チーズ

神奈川県は、化学工業や自動車、食料品の生産がさかんです。中でも、チーズの生産量が、北海道をおさえて日本一です。プロセスチーズの原料のナチュラルチーズは、海外から輸入されています。神奈川県には、輸入品がとどく横浜港があることから、自然とチーズなど乳製品の製造工場が多くつくられるようになって、生産量がふえました。

ダイコン

三浦半島は、ダイコンの産地として知られています。東京都の練馬ダイコンを改良した大きな三浦ダイコンが有名ですが、今では、栽培しやすい青首ダイコンの生産量のほうが、多くなっています。

三浦ダイコン

歴史・伝統・文化

鎌倉大仏

鎌倉市は、源頼朝が鎌倉幕府を開いた場所で、当時のお寺や神社が多く残っています。高徳院にある鎌倉大仏もそのひとつで、鎌倉のシンボルになっています。とても大きい大仏で、高さが約11mあります。2016年に、約55年ぶりの健康診断(点検・修理)が、約2か月にわたって行われました。

伝統工芸

鎌倉彫

鎌倉彫は、鎌倉時代に中国から伝わったとされています。カツラやイチョウの木でつくった器に彫刻で文様をほって、樹液からつくったうるしをぬり重ねてつくります。細かい文様をていねいにほって、そのあと、ぬってはかわかしながら、十数回ぬり重ねるので、完成までにとても時間がかかります。

もっと知りたい!

横浜中華街

横浜中華街は、中華料理店がたくさんある街だよ。江戸時代の終わりに横浜港ができて、外国人がたくさん来るようになったため、西洋の言葉も漢字もできる中国人が通訳としてやってきたんだ。彼らがそのままうつり住んだことで、中華街が生まれたよ。

都道府県クイズ Q30 自動車メーカー、トヨタの本社がある都道府県は?(←答えは92ページ)

おさらいクイズ

シルエットクイズ

関東地方の7つの都道府県のシルエットだよ！それぞれ、どこかわかるかな？

※シルエットは簡略化してあります。

関東地方

いろいろクイズ

関東地方のクイズにチャレンジ！3つの中から選んでね！

わからないときは、各県のページをもう一度読んでみてね！

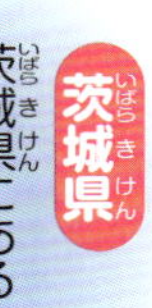

茨城県

茨城県にある日本で二番目に広い湖は？

1. 霞ケ浦
2. 琵琶湖
3. サロマ湖

千葉県

空の玄関口とよばれる、千葉県にある空港の名前は？

1. 成田国際空港
2. 羽田空港
3. 新千歳空港

埼玉県

こいのぼりの生産量が日本一なのは何市？

1. 熊谷市
2. 深谷市
3. 加須市

栃木県

栃木県で生産がさかんなとちおとめは何のくだもの？

1. ナシ
2. リンゴ
3. イチゴ

東京都

江戸城の跡地にある天皇陛下の住まいはどこ？

1. 皇居
2. 国会議事堂
3. 新宿御苑

群馬県

高崎市で全国の約8割が生産されているものは何？

1. こけし
2. だるま
3. うちわ

神奈川県

芦ノ湖や仙石原があり、観光客でにぎわう町はどこ？

1. 厚木市
2. 箱根町
3. 鎌倉市

答えは、254ページにのっています。

都道府県なんでもランキング

気候ランキング

最高気温

1位 静岡県（浜松）（41.1℃）2020年
1位 埼玉県（熊谷）（41.1℃）2018年
3位 岐阜県（美濃）（41.0℃）2018年

最低気温

1位 北海道（旭川）（マイナス41.0℃）1902年
2位 北海道（帯広）（マイナス38.2℃）1902年
3位 北海道（江丹別）（マイナス38.1℃）1978年

最高気温の記録は、どんどん更新されているね

最大瞬間風速

1位 静岡県（富士山）（91.0m／s）1966年
2位 沖縄県（宮古島）（85.3m／s）1966年
3位 高知県（室戸岬）（84.5m／s）1961年

最深積雪

1位 滋賀県（伊吹山）（1182cm）1927年
2位 青森県（酸ケ湯）（566cm）2013年
3位 新潟県（守門）（463cm）1981年

気候ランキング

1時間あたりの降水量

1位 千葉県（香取）（153㎜）1999年

1位 長崎県（長浦岳）（153㎜）1982年

2位 沖縄県（多良間）（152㎜）1988年

1日あたりの降水量

1位 神奈川県（箱根）（923㎜）2019年

2位 高知県（魚梁瀬）（852㎜）2011年

3位 奈良県（日出岳）（844㎜）1982年

快晴の日が多い

1位 宮崎県（67日／年）

2位 静岡県（64日／年）

3位 埼玉県（47日／年）

1日の平均の雲の量が1割以下の日を快晴の日としているよ

快晴の日が少ない

1位 沖縄県（5日／年）

2位 青森県（8日／年）

2位 岩手県（8日／年）

2位 山形県（8日／年）

5位 秋田県（9日／年）

※快晴日は2018年度のデータを掲載しています。

バラエティゆたかな、中部地方！

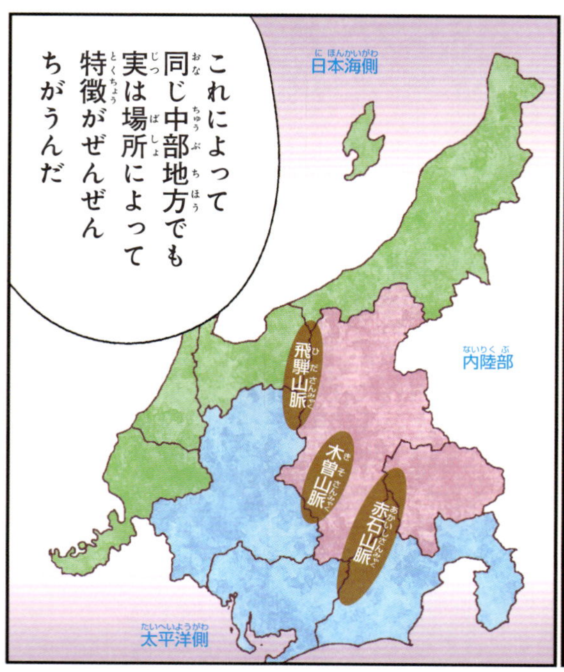

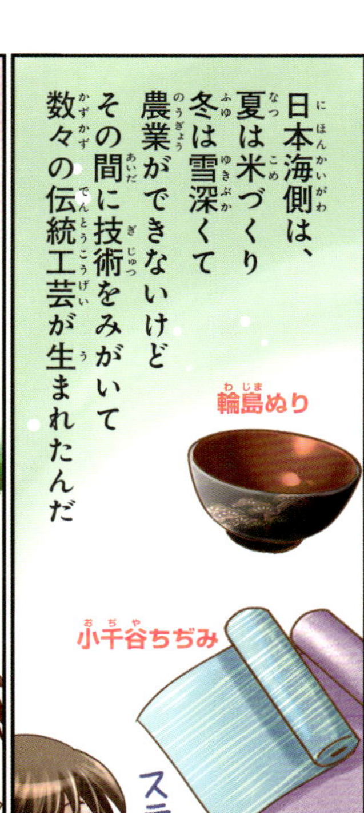

Q31 日本で二番目に、人口の少ない都道府県は？

新潟県

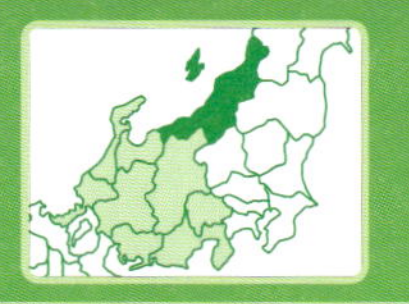

長い海岸線が特徴の新潟県。米の収穫量は日本一です。
佐渡島では特別天然記念物のトキを飼育しています。

伝統! 牛の角突き

交通

道路

日本海東北自動車道、北陸自動車道、関越自動車道などで県内を移動できる。

鉄道

新幹線で、東京都、石川県などと結ばれている。

ＪＲ以外では、北越急行やえちごトキめき鉄道の路線が走っている。

空路、海路

新潟空港から、北海道、大阪府、千葉県などへ行くことができる。新潟港から、北海道、秋田県、福井県などへ行くことができる。

食器

フォークやスプーンなどの金属洋食器の生産がさかん。

基本データ

県庁所在地	新潟市
面積	約12584km²
人口	約222万人
県の花	チューリップ
県の鳥	トキ
県の木	ユキツバキ

都道府県クイズ Q32 無料で渡れる橋の中で一番長い橋がある都道府県は?

自然・環境

佐渡島（トキの保護）

佐渡島は、本州などの主要4島と北方領土を除く日本の島の中では、沖縄本島に次いで2番目に大きくて、自然が豊かな島です。島では、ぜつめつした特別天然記念物のトキを、人工的に飼育してふやし、自然にもどす活動をしています。トキの森公園では、100羽以上のトキが見られます。2012年には、自然にかえしたトキから産まれた野生のトキがひなを産み、初めて巣立ちました。

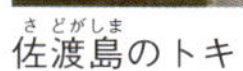
佐渡島のトキ

産業

米

新潟県は、米づくりがさかんで、生産量もトップクラスです。人気の高いコシヒカリは、福井県で生まれ、新潟県で栽培されるようになりました。はじめは病気に弱かったのですが、改良を重ねて、病気に負けないコシヒカリをつくれるようになりました。稲作にあう土、山のきれいなわき水、気候など、めぐまれた条件のなか、つくる人たちの努力で、さらに品質を高めています。

サケ

「サケのまち」、村上市は、サケを使った調理法が100種類以上あるといわれています。サケを大切にしていて、身だけでなく、骨や内臓、皮などすべてを使って味わいます。大みそかや正月などの節目にも、サケを使った料理を食べる風習があります。

サケの氷頭なます

米菓

新潟市では米づくりがさかんだったことで、せんべいなど、お米を使ったおかしづくりの工場がふえて、発展しました。有名な柿の種は、新潟市などでつくられています。

歴史・伝統・文化

佐渡金銀山

江戸時代、日本は海外の人に黄金の国といわれていましたが、本当に金がとれていませんでした。佐渡島の佐渡金銀山跡は、その名残です。1601年に金が発見されてから、採掘をやめる400年近くのあいだに、78トンの金と、2330トンの銀が産出されました。跡地では、作業のようすを再現した人形があり、当時のようすを見ることができます。

伝統工芸

小千谷ちぢみ

雪の多い新潟県では、冬に仕事がない農家の副業として、織物づくりがさかんでした。なかでも、織った布をお湯でもんでしわをつける小千谷ちぢみが知られています。布地を白くして模様をはっきりさせるため、反物を雪の上にさらす「雪さらし」は、冬の風物詩となっています。

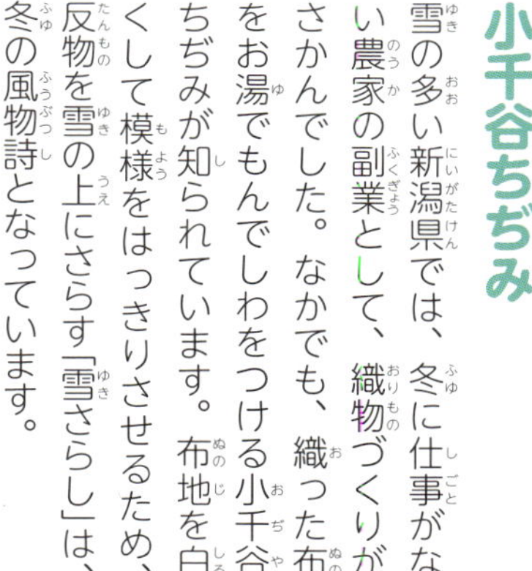
雪さらしのようす

もっと知りたい!

燕市の食器は世界ブランド

明治時代、東京・銀座から、フォークやスプーンなどの金属製洋食器の注文が大量にまいこんだことがきっかけで、洋食器の生産が始まったよ。その後、洋食器を使う人もふえたので、技術をみがいて発展していったよ。食器だけでなく、ステンレスなべなど、キッチン用品の生産もさかんに行われているんだ。

Q33 北海道などで使われる「なまら」という方言の意味は?

富山県

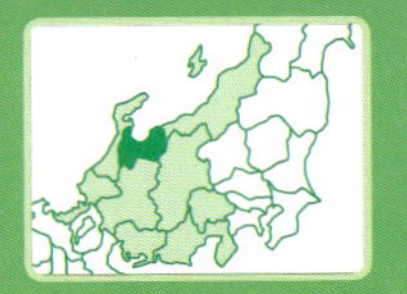

富山湾とゆたかな川にめぐまれた富山県。水力発電もさかんで、堤高186mの黒部ダムは日本一の高さをほこっています。

黒部ダム

日本一の高さをほこる水力発電用のダム。

米

富山平野は日本有数の米どころで、コシヒカリなどの生産がさかん。

富山の薬売り

江戸時代から薬売りが有名で、今でも医薬品の販売がさかん。

基本データ

県庁所在地	富山市
面積	約4248㎢
人口	約104万人
県の花	チューリップ
県の鳥	ライチョウ
県の木	タテヤマスギ

富山の薬売り

交通

道路

北陸自動車道や東海北陸自動車道で、県内を移動できる。

鉄道

新幹線で、東京都、石川県などと結ばれている。

ＪＲ以外では、富山地方鉄道などの路線が走っている。

空路

富山空港から、北海道、東京都などへ行くことができる。

高岡銅器

五箇山

都道府県クイズ Q34 自動車メーカー、マツダの本社がある都道府県は？

自然・環境

砺波平野

砺波平野は、富山県の西部にある平野です。ここでは、お米を栽培しやすいよう、家の周りに水田をつくったため、田んぼの中に家が点てんと散らばって建つ、のどかな田園の風景が見られます。風や雪をふせぎ夏のあつさをやわらげるために、家の周りが木で囲まれていて、屋敷林といわれています。

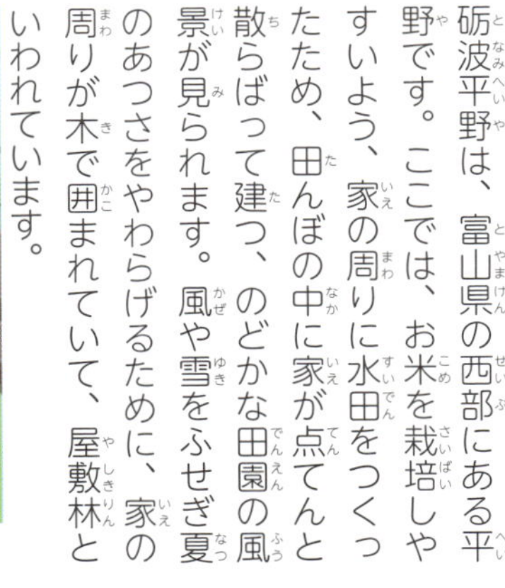

風などをふせぐ屋敷林

産業

チューリップ

砺波平野では、チューリップの栽培もさかんで、生産量が日本一です。稲をかりとったあと、次の田植えの時期まで、別のもので畑を活用しようと、チューリップ球根の栽培を始めたことがきっかけで、広まりました。雪でおおわれた土は、チューリップの球根が育つのによい環境だったのです。春には、一面のチューリップ畑を見に、たくさんの観光客がおとずれます。

となみチューリップフェア

ホタルイカ

富山湾では、たくさんの魚介類がとれます。なかでもホタルイカが有名。3～5月、産卵のために海面に上がってきたホタルイカの群れをつかまえます。夜明け前の闇の中、青白い光を放つようすが幻想的です。

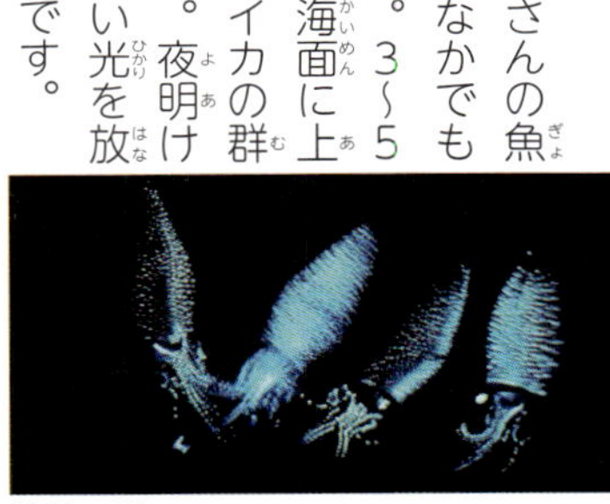

青白く光るホタルイカ

ブリ

富山県では、ブリを食べる人が多く、消費量が日本一です。冬にとれるブリを寒ブリといい、富山湾の氷見市でとれる「氷見の寒ブリ」は、あぶらが乗っていて、特に人気です。富山では「新鮮な魚」のことを「キトキトの魚」と表現します。

歴史・伝統・文化

五箇山

五箇山には、相倉集落や菅沼集落などがあり、合掌づくりといわれる、昔ながらのかやぶき屋根の家で生活しています。合掌づくりは、雪がつもらないように、屋根が急な角度でつくられているのが特徴です。これらの家には、泊まることができます。1995年、岐阜県の白川郷（121ページ）といっしょに、世界文化遺産に登録されました。

伝統工芸

高岡銅器

高岡銅器は、江戸時代に加賀の藩主だった前田利長が、城下町を栄えさせようと、工場を開設したことから始まりました。銅器は、鉄や銅などをとかして型にながしこんで形をつくります。パリ万国博覧会にも出品して、世界的にも知られるようになりました。茶の道具や花器、仏具や銅像など、全国の銅器の9割以上が、高岡市でつくられています。

もっと知りたい！

黒部ダム

黒部ダムは、水力発電用のダムだよ。高さが日本一で、186mもあり、つくるのに7年かかったんだって。この高さから、毎秒10トン以上の水がふきだす放水は迫力があるよ。勢いで周りに水が飛びちり、けむりがまきあがるように見えるんだ。晴れていると、にじも見られるよ。

Q35 日本で一番豚の飼育頭数が多い都道府県は？

石川県

日本海の海の幸が豊富な石川県。たてに長い形が特徴的です。
金沢は「加賀百万石」といわれて栄えた町です。

輪島朝市

交通

道路
北陸自動車道や能登有料道路などで、県内を移動できる。

鉄道
新幹線で、東京都、長野県などと結ばれている。
ＪＲ北陸本線、七尾線、ＩＲいしかわ鉄道などで、県内を移動できる。

空路
小松空港から、北海道、東京都、沖縄県などへ、能登空港から東京都へ行くことができる。

青柏祭
日本最大の曳山で有名な、七尾市のお祭。その高さは12mにもなる。

金沢
金沢城のある金沢は、加賀百万石の城下町といわれて栄えた。

基本データ

県庁所在地	金沢市
面積	約4186㎢
人口	約114万人
県の花	クロユリ
県の鳥	イヌワシ
県の木	アテ

都道府県クイズ Q36 沖縄県などで使われる「なんくるないさ」という方言の意味は？

自然・環境

能登半島（白米千枚田）

能登半島にある輪島市には、山の急な斜面に小さい田んぼ（棚田）が1000以上、海に向かって重なるようにならんでいる場所があり、美しい景色を見せています。白米千枚田といって、能登半島を代表する観光地です。棚田は機械を使うことができないので、昔ながらの手作業で農作業が行われています。

1000をこえる田んぼが続く白米千枚田

産業

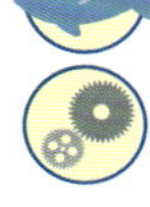

スルメイカ

石川県は、イカの種類が豊富です。スルメイカは、5～8月ごろにエサをもとめて群れで日本海にやってくるので、それをねらって、全国から約300隻のいか釣り漁船が集まります。船は夜に出て、灯りに集まるイカを釣りあげていきます。

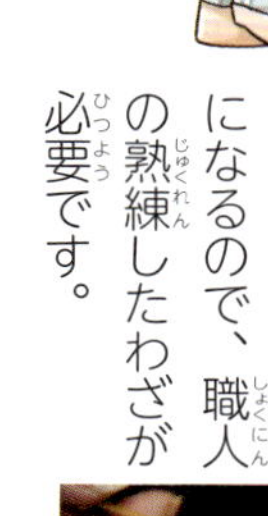

漁船には、イカを集める灯りを積んでいるんだ

金沢箔

金箔の9割近くが金沢でつくられていて「金沢箔」として有名です。金箔は、うすさがわずか1万分の1㎜ほど。作るときは、金に銀や銅を加えた合金を、たたいてうすくのばしていきます。2gほどの金を畳一枚ほどの大きさになるまでのばします。うすくなっていくと息でふきとんでしまうくらいになるので、職人の熟練したわざが必要です。

ブリ

寒ブリは、富山県の「氷見の寒ブリ」（100ページ）が有名ですが、同じ水域である能登半島沖でとれる寒ブリも、「天然能登寒ブリ」とよんで、ブランド化が進められています。

歴史・伝統・文化

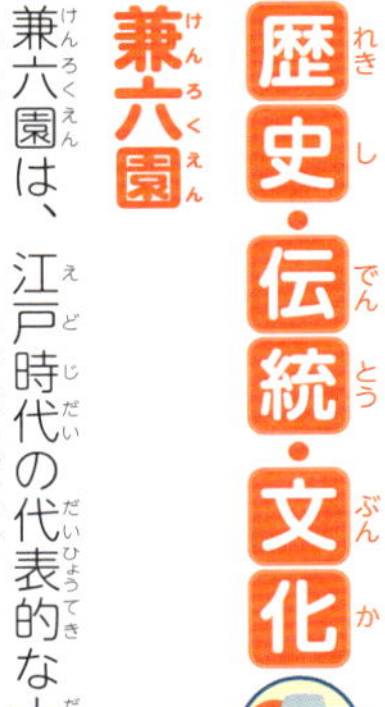

兼六園

兼六園は、江戸時代の代表的な大名庭園として、日本三名園のひとつに数えられています。春には桜、秋にはもみじなど、季節ごとに美しい景色をみせてくれます。なかでも、冬に松のえだが雪の重さで折れないように縄でつる松の雪つりは、冬の風物詩として、たくさんの観光客が見におとずれます。

伝統工芸

九谷焼

石川県は、江戸時代に工芸品の製作に力を入れていたことで、今もたくさんの伝統工芸品が受けつがれています。九谷焼は、土をねって焼いてつくる陶器です。陶器に線で絵をえがいたあとに、赤・黄・緑・紫・紺青の5色で色をつけていきます。

輪島ぬり

輪島ぬりは、木の器にうるしを何度もぬりかさねてつくり、金や銀でかざります。ひとつの作品が、半年から1年かけてつくられます。美しくてじょうぶなので人気が高いです。

もっと知りたい！

金沢の町なみ

金沢市は、江戸時代に城下町として栄えた町だよ。ひがし茶屋街やにし茶屋街などは、当時の古い町なみが残されていて、歴史を感じることができるよ。こうした風情のある町なみが残るところを、小京都っていうんだって。武家屋敷のあとも見ることができるよ。

Q37 徳島の阿波おどりの出だしは「おどる阿呆に○○阿呆〜」。○○に入ることばは？

福井県

恐竜の化石がたくさん発掘されている福井県。鯖江市ではめがねフレームの生産がさかんで、全国の９割以上を生産しています。

基本データ

県庁所在地	福井市
面積	約4191㎢
人口	約77万人
県の花	スイセン
県の鳥	ツグミ
県の木	マツ

恐竜王国フクイ！

交通

道路
北陸自動車道や舞鶴若狭自動車道で県内を移動できる。

鉄道
ＪＲ北陸本線、小浜線、越美北線などで県内を移動できる。

海路
敦賀港から、北海道、新潟県、秋田県へ行くことができる。

県庁所在地
福井市

福井県沖

米
北部は、早場米(ふつうよりも早く収穫する米)の生産がさかん。

若狭ぬり
小浜市名産の漆器。お箸が有名。

都道府県クイズ Q38 モチモチした太い麺を濃いつゆにからめて食べる三重県名物のうどんは？

自然・環境

東尋坊

日本海の波によってけずられたけわしいがけが、海岸に約1㎞続きます。五角形や六角形の柱のように割れためずらしい奇石が多く、国の天然記念物に指定されています。ライオンの後ろ姿に見えるライオン岩や、巨大なハチの巣に見えるハチの巣岩などが見られます。

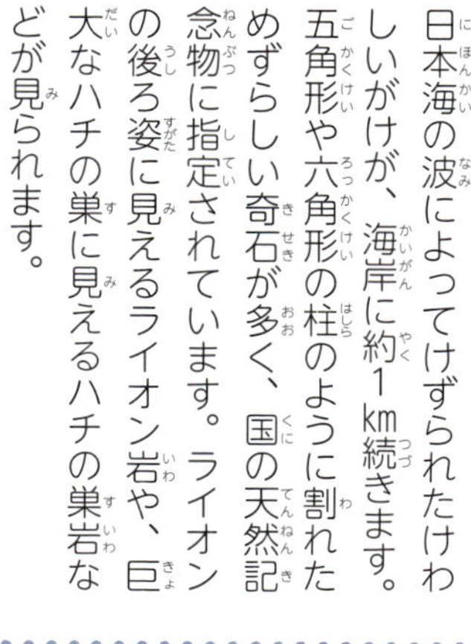

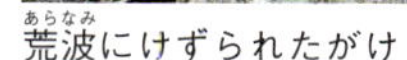

荒波にけずられたがけ

産業

ラッキョウ

三国町の砂丘(砂が積もってできた丘)、三里浜で、ラッキョウの栽培がさかんです。ここでつくられるラッキョウは、全国で唯一、種を植えてから収穫まで三年かけて栽培されることから、「三年子」とよばれます。10月下旬ころ、ラッキョウ畑は、紫色のラッキョウの花でうめつくされます。

越前ガニ

福井県沖の港でとれるズワイガニは、昔の国名をとって越前ガニとよばれ、冬の味覚の王様です。この名前は、安土桃山時代にはすでにあったといわれています。福井県でとれたものだとわかるように、カニのあしに黄色のタグがつけられています。

めがねのフレーム

鯖江市はめがねの聖地といわれるほど、めがね(フレーム)づくりがさかんです。全国の9割以上がここでつくられています。1905年に技術が入り、農家の副業として生産が始まりました。1981年に、軽くてじょうぶなチタン製のめがねを開発し、世界的にも評価されています。

歴史・伝統・文化

永平寺

永平寺は、鎌倉時代に、道元というお坊さんが開いた曹洞宗のお寺です。禅寺ともいわれ、座禅の修行をするための道場でもあります。現在も多くの修行僧が座禅修行を行っています。宿泊して、座禅修行の体験ができます。体験では、朝4時前に起きて修行をし、夜9時に寝るという、修行僧と同じ生活をします。

伝統工芸

越前和紙

越前市でつくられる越前和紙は、手すきでつくる和紙です。1500年ほど前に、この地域の岡太川に現れた川上御前というお姫様が、紙すきの技術を教えたといわれています。川上御前は、紙の神様として岡太神社にまつられています。越前和紙は、うすくて水にも強いので、明治時代はお札の紙としても使用されました。

もっと知りたい!

「コシヒカリ」は福井県生まれ

お米のなかでも人気の高いコシヒカリは、福井県で生まれたよ。でも、病気に弱くて、福井県では栽培がむずかしかったんだ。それを改良して栽培しやすくしたのが新潟県。だから、コシヒカリの生みの親が福井県で、育ての親が新潟県だといわれているよ。

Q39 東大阪市にある有名なラグビー場の名前は？

山梨県

面積のほとんどが山地の山梨県。富士山や南アルプスなどの高い山々に囲まれ、果物づくりがとてもさかんです。

山梨名物ほうとう

交通

道路

中央自動車道で県の東西を、中部横断自動車道で県の南北を移動できる。

鉄道

ＪＲ中央本線、小海線、身延線などで県内を移動できる。
ＪＲ以外では、富士急行の路線が走っている。

長野県

ほうとう
太く平たい麺を煮込んだ郷土料理。

甲斐駒ケ岳

北岳

信玄堤

赤石山脈（南アルプス）

基本データ

県庁所在地	甲府市
面積	約4465㎢
人口	約81万人
県の花	フジザクラ
県の鳥	ウグイス
県の木	カエデ

Q40 プロ野球チーム、カープの本拠地はどこの都道府県？

自然・環境

富士山

静岡県にもまたがる富士山は、高さが3776mあり、日本一の山です。観光地としての人気も高く、特に元旦には、富士山で初日の出を見ようと、多くの登山客がおとずれます。山梨県側の富士山周辺にある富士五湖（山中湖・河口湖・西湖・精進湖・本栖湖）の水面にさかさに映る富士は「さかさ富士」といわれます。2013年、世界文化遺産に登録されました。

産業

モモ

甲府盆地で栽培されているモモは、生産量日本一です。春には甲府盆地がモモの花でうめつくされ、人気の観光地になっています。モモは品種改良がさかんで、山梨でも積極的に改良を進めていて、白鳳や浅間白桃などが、山梨県の代表的な品種です。

桃源郷のようなモモの花

ブドウ

フルーツ王国といわれる山梨県では、ブドウも生産量日本一で、全国の約四分の一をしめています。勝沼町が、日本で初めてブドウを栽培しました。種類が多く、栽培時期のちがうブドウをいくつも栽培している農園が多くあります。収穫時期はブドウ狩りも人気です。また、ブドウを利用したワインづくりもさかんです。

ミネラルウォーター

山梨県は、富士山や南アルプスなどの、わき水が豊富です。なかでも、尾白川渓谷など、名水とよばれる川のある北杜市は名水の里ともいわれ、ミネラルウォーターの生産量は日本でもトップクラスです。

歴史・伝統・文化

信玄堤

釜無川ぞいにある信玄堤は、戦国時代に武田信玄によってつくられたと言われる堤防です。堤防は、洪水などで川があふれたときにふせぐためのもので、当時、川の被害が多かったことから、20年かけてつくられたと言われています。水のいきおいを弱める聖牛など、現在もその一部が残されています。

伝統工芸

水晶細工

山梨県は、昔から水晶の産地として知られていました。江戸時代に、京都の職人によって水晶をみがいて加工する技術が入ってきて、水晶細工が行われるようになりました。その後、水晶だけではなく、宝石や貴金属などの加工もさかんになり、さまざまなジュエリーがつくられて、全国に出荷されています。

美しくかがやく水晶細工の作品

もっと知りたい！

リニア新幹線の実験線

リニア（磁気の力でういて走る）新幹線は、新幹線の約2倍の時速500kmで東京から大阪を結ぶ予定の新幹線だよ。実験線には、カーブやトンネル、坂道があり、リニア新幹線が、そこで問題がなく走れるか確認しているんだ。2027年に運転が開始できることをめざしているよ。

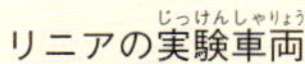

リニアの実験車両

長野県

日本で４番目に大きい(面積)長野県。南北に長い県のほとんどに高い山々が連なっていて「日本の屋根」と言われています。

信州そば!?

交通

道路

中央自動車道、上信越自動車道、長野自動車道などで県内を移動できる。

鉄道

新幹線で、東京都、新潟県などと結ばれている。
ＪＲ信越本線、中央本線、飯田線、飯山線、大糸線などの路線が走っている。

空路

松本空港から、北海道、大阪府、福岡県へ行くことができる。

善光寺

リンゴ

松本城

戦国時代にたてられた、日本で最も歴史のある城。

諏訪大社御柱祭

迫力満点の「木落し」が有名な祭り。六年に一度行われる。

基本データ

県庁所在地	長野市
面積	約13562㎢
人口	約205万人
県の花	リンドウ
県の鳥	ライチョウ
県の木	シラカバ

都道府県クイズ Q42 日本で二番目に、面積が大きい都道府県は？

自然・環境

日本アルプス

飛騨山脈、木曽山脈、赤石山脈の3つの山脈をまとめて日本アルプスとよびます。山のある位置から、それぞれ北アルプス、中央アルプス、南アルプスとも言われます。槍ヶ岳や穂高岳など、3000mをこす高い山が集まっていて、多くの登山客が集まります。

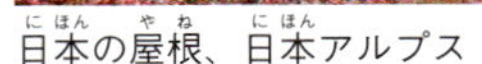
日本の屋根、日本アルプス

産業

レタス

長野県は、夏野菜の栽培がさかんで、特にレタスが多くつくられています。なかでも、八ヶ岳のふもとで標高1000mの高地にある川上村の高原レタスは生産量が日本一です。長野県は、ほかにも多くの野菜をつくっていて、野菜を食べる量も全国でトップクラスです。

川上村は〝レタス村〟、ともよばれるよ

リンゴ

リンゴの産地の長野盆地や松本盆地は、すずしい気候がリンゴづくりにあっていて、さかんに生産が行われています。収穫量は青森に続いて、全国2位。ブドウや洋ナシなどの栽培もさかんです。

ワサビ

長野県は、ワサビの生産も日本一です。ワサビは、冷たくてきれいな水がないと育ちません。安曇野市の大王わさび農場には、わき水でつくられた日本一の広さをほこるワサビ田があります。

歴史・伝統・文化

善光寺

長野市の善光寺は、約1400年の歴史があり、日本で最も古い仏をまつっています。昔、お寺は女性が入ることは禁止されていましたが、善光寺は身分や男女の区別なくお参りできたので、全国から人が集まっていました。今も、毎年多くの人がおとずれています。長野市は、善光寺の門前町として栄えました。

伝統工芸

木曽漆器

木曽漆器は、塩尻市周辺でとれるヒノキでつくった器などにうるし（樹液からできた塗料）をぬったものです。江戸時代、旅人が通る中山道がこの地にあったので、かれらに売るための日用品としてつくり始めました。漆器は高級品が多いですが、お弁当箱やおはしなど、気軽に使えるものも多くつくられています。

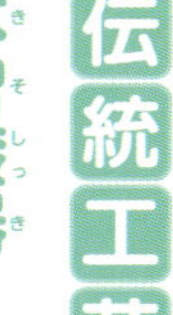

もっと知りたい！

国立天文台野辺山

国立天文台野辺山には、直径45mという世界最大級の電波望遠鏡があるよ。大きな口で、目に見えない天体（宇宙にあるもの）からのわずかな電波をひろって、調べているんだ。この調査で、光も電波も出てこられないブラックホールという星があることを見つけたんだよ。

45m 電波望遠鏡（写真提供：国立天文台）

Q43 ゲーム会社、任天堂の本社がある都道府県は？

岐阜県

北部の飛騨と、南部の美濃、気候と文化が大きくちがう２つの地域から成る岐阜県。陶磁器の生産がさかんです。

からくり人形

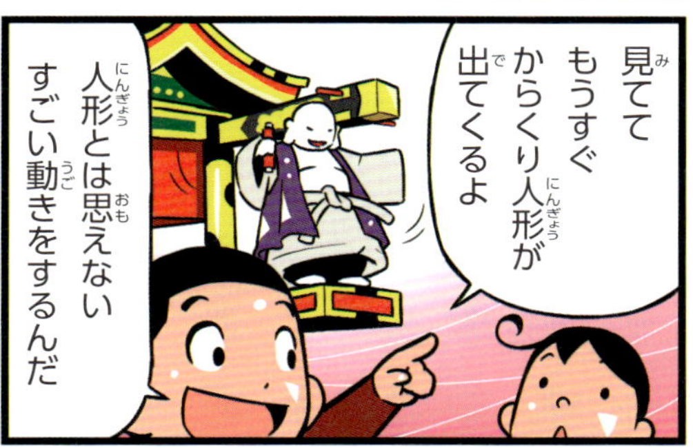

※さるぼぼ…飛騨地方に伝わる人形

交通

道路

名神高速道路、中央自動車道、東海北陸自動車道などで県内を移動できる。

鉄道

新幹線で、東京都、大阪府などと結ばれている。

ＪＲ以外では、名古屋鉄道などの路線が発達している。

基本データ

県庁所在地	岐阜市
面積	約10621㎢
人口	約199万人
県の花	レンゲソウ
県の鳥	ライチョウ
県の木	イチイ

都道府県クイズ Q44 名前に「川」がつく都道府県はいくつある?

自然・環境

木曽三川

濃尾平野を流れる木曽川、長良川、揖斐川をまとめて木曽三川と言います。この3つの川の下流には、日本最大の国営木曽三川公園があります。長良川は、なわでつないだ鵜という鳥を川に放して魚をとる鵜飼いが有名です。およそ1300年の歴史があり、戦国武将の織田信長も好んで見たと言われています。

鵜飼いのようす

産業

肉用牛（飛騨牛）

飛騨牛は、岐阜県内で14か月以上飼育された「黒毛和牛」を言います。主に、飛騨市周辺の山地で飼育されています。はじめは、田畑を耕すこともできる牛を飼育していましたが、機械化が進んだことで、食肉専用に変わっていきました。その後、改良が重ねられて、今の飛騨牛ブランドが生まれました。

柿

瑞穂市では、昔から柿の栽培がさかんで、江戸時代の有名な画家、歌川広重がこの地をかいた作品にも、柿の木が出てきます。全国的に多く栽培されている富有柿は、明治時代に瑞穂市で生まれました。柿を食べる人も多く、消費量は日本一です。

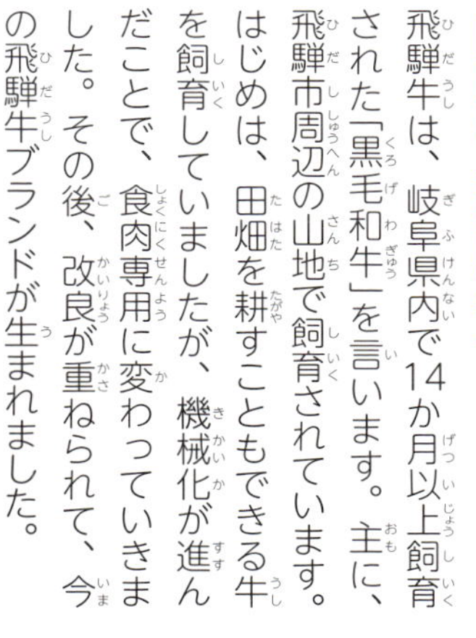

包丁

関市は包丁の生産量が日本一で、刃物の町と言われています。鎌倉時代から刀剣の生産がさかんで、「折れず、曲がらず、よく切れる」と評判でした。その技術が包丁づくりにも生かされ、今では近郊に約90の刃物メーカーがあります。

都道府県クイズ Q44の答え 神奈川県、石川県、香川県の３つ。

歴史・伝統・文化

白川郷

白川村にある白川郷では、江戸時代ころから続く合掌づくりと言われるかやぶき屋根の家に住んで生活しています。屋根は急斜面になっていて、東西のほうを向いています。雪をとけやすくして、落ちやすくする、雪の多い地域ならではの工夫です。富山県の五箇山（101ページ）といっしょに世界遺産に登録されています。

伝統工芸

美濃焼

美濃焼は、土岐市や多治見市などでつくられている陶磁器（焼き物）です。土をねって形をつくり、焼いてできます。この地方では、原料の土が豊富で、昔から陶磁器づくりがさかんでした。1300年以上の歴史があります。今では、この技術を生かして茶わんなどの食器をつくり、全国に出荷しています。

世界一大きい、美濃焼でできたこま犬

もっと知りたい！

杉原千畝（命のビザ）

杉原千畝は、第二次世界大戦のとき、外交官としてリトアニアの都市カウナスにいたんだ。そこで、ナチス・ドイツに命をねらわれていたユダヤ人がにげるための切符（ビザ）を、国から反対されても発行したよ。寝る間もおしんで発行して、6000人ものユダヤ人の命をすくったんだよ。

出身地の八百津町には記念館が建てられているよ

Q45 プロ野球チーム、ドラゴンズの本拠地はどこの都道府県？

静岡県

温暖な気候に恵まれた静岡県。お茶の生産量が日本一です。
駿河湾では漁業が、牧之原台地ではお茶の生産が有名です。

基本データ

県庁所在地	静岡市	県の花	ツツジ
面積	約7777㎢	県の鳥	サンコウチョウ
人口	約364万人	県の木	モクセイ

都道府県クイズ Q45の答え 愛知県。正式名は中日ドラゴンズ。

浜松名物ウナギ

交通

道路
東名高速道路、新東名高速道路などで、県の東西を移動できる。

鉄道
新幹線で、東京都、大阪府などと結ばれている。
ＪＲ東海道本線や伊東線、伊豆急行線や大井川鐵道の路線が発達している。

空路
静岡空港から、北海道、沖縄県などへ行くことができる。

 都道府県クイズ Q46 マンガ家、手塚治虫が育った宝塚市がある都道府県は？

自然・環境

富士山

日本一の高さをほこる富士山は、山梨県との県境にあります。山梨県側から見る富士山は「男富士」、静岡県側から見る富士山は「女富士」ともよばれます。さまざまな場所で絶景が見られますが、駿河湾でしかとれないサクラエビの天日干しのようすは、富士山の前に赤いじゅうたんがしかれたようになり人気です。

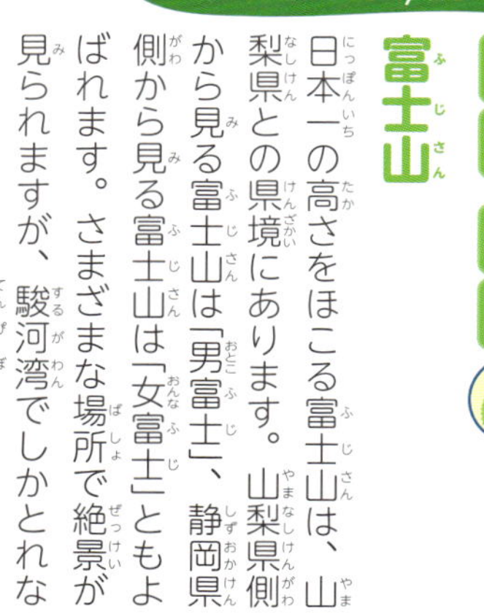

サクラエビのじゅうたんと富士山

産業

茶

静岡県は、お茶の生産量が日本一で、全国の生産量の4割近くが静岡県産です。土地や気候があっていて、昔からお茶の栽培がさかんでした。江戸時代には、俳人の松尾芭蕉がこの地をおとずれたとき、茶のにおいがするとよんでいます。なかでも、牧之原市が日本最大級のお茶の産地として有名です。

ウナギ

ウナギの養殖は、海から来たウナギの赤ちゃんをとってきて飼育する方法で行われます。明治時代に浜名湖で始まって、全国に広まりました。ウナギの数が減ってきた今では、ウナギの親を海に放す取り組みなども進められています。浜名湖周辺には、ウナギのお店が数多くあります。

ピアノ

浜松市は、楽器の生産がさかんで、「音楽のまち」として知られています。全国のピアノの多くがここでつくられています。明治時代に、ヤマハの創業者がこの地でオルガンの修理をしたことで発展しました。

浜松市にある楽器博物館

歴史・伝統・文化

登呂遺跡

登呂遺跡は、弥生時代の集落のあとです。竪穴式住居(あなをほって柱を建て、屋根を乗せた家)など、当時の家が再現されていて、どのような生活を送っていたのか、うかがうことができます。畑で耕したものをしまっておく倉庫(高床式倉庫)は、しまったものをねずみに食べられないように、床が高くなっています。

伝統工芸

竹千筋細工

竹千筋細工は、丸くけずった竹ひごをあなにさして組み立てるのが特徴の竹細工です。登呂遺跡からも、竹でできたザルなどが出てきていて、古くから竹細工が行われていたことがうかがえます。竹千筋細工は、江戸時代から始まりました。花器やバッグ、虫かご、風鈴などがつくられていて、人気があります。

もっと知りたい!

サッカーがさかん

静岡県はサッカー王国といわれるほど、サッカーがさかんだよ。藤枝市の学校が、サッカーの強化に特に力を入れたために、強い選手が生まれたよ。その選手たちが、のちにサッカーの指導者となって、どんどん強い選手がふえていったんだって。

Q47 となり合っている都道府県が一番多い都道府県は？

愛知県

中部地方の経済・産業の中心、愛知県。全国で４番目に人口が多い県です。中京工業地帯は、工業製品の出荷額日本一です。

都道府県クイズ Q47の答え 長野県。８つの県ととなり合っている。

きっさ店にて

交通

道路

東名高速道路、名神高速道路、伊勢湾岸自動車道などで県内を移動できる。

鉄道

新幹線で、東京都、福岡県などと結ばれている。

ＪＲ以外では、名古屋鉄道、地下鉄の路線などが発達している。

空路、海路

中部国際空港から、国内外の様々な都市へ行くことができる。

名古屋港から、フェリーで北海道や宮城県へ行くことができる。

犬山市
一宮市
小牧市
稲沢市
名古屋飛行場
名古屋第二環状自動車道
名古屋市
名古屋城
木曽川
濃尾平野
関西本線
弥富市
藤前干潟
三重県
愛知用水
武豊線
常滑市
半田市
中部国際空港
知多半島

名古屋城

熱田神宮

三種の神器のひとつ、草薙剣が祀ってある。

藤前干潟

基本データ

県庁所在地	名古屋市
面積	約5173㎢
人口	約755万人
県の花	カキツバタ
県の鳥	コノハズク
県の木	ハナノキ

都道府県クイズ Q48 キジムナーとシーサーが有名な都道府県は？

自然・環境

藤前干潟

藤前干潟は、庄内川、新川、日光川の3つの河川が合流する場所にあります。干潟は、潮の満ち干きによって、すなやどろがつもってできた場所です。わたり鳥の通り道にあり、多くのわたり鳥がやってきます。貝やヤドカリなどの生物も多く、これをえさにする鳥もいて、鳥の種類は170種以上にもなります。

産業

ニワトリ（名古屋コーチン）

名古屋コーチンは、小牧市で生まれたブランド地鶏です。明治時代に、中国から輸入されたニワトリと日本の地鶏をかけあわせてできました。よく卵を産み、肉質もよかったことから、人気が高まりました。小牧市の駅前には、二羽のニワトリの像があります。

名古屋コーチン

キク

愛知県は、切り花の出荷量が多く、特に田原市は、キクの生産量が日本一です。キクは、日照時間が短くなると、花をつけます。この性質を利用して、電気を照らして、花がさく時期をおくらせる電照栽培で、一年中出荷できるようになりました。ほかにも、バラやカーネーションも多く栽培されています。

電照ギクのハウスの灯り

自動車

豊田市は、トヨタ自動車ができたことで、「クルマのまち」として有名です。市で働く人の多くが自動車関連の仕事をしていて、自動車工場や自動車部品の工場が集まっています。豊田市の名前はトヨタ自動車からつき、もとは「挙母市」でした。

名古屋城

金のしゃちほこで有名な名古屋城は、江戸時代に徳川家康の命令でつくられました。名古屋市のシンボルになっています。昭和20年の空襲で、城のほとんどが焼失してしまいましたが、その後、再建が行われています。

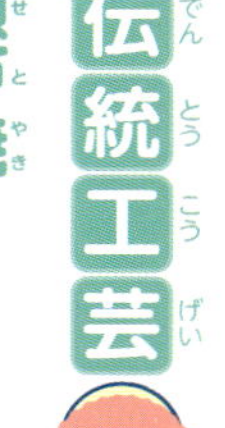

瀬戸焼

愛知県は、陶磁器（焼き物）の生産がさかんで、瀬戸市を中心につくられている瀬戸焼もそのひとつです。歴史が古く、平安時代からつくられています。瀬戸焼は陶磁器の代表で、陶磁器の通称として言われる瀬戸物は、瀬戸焼から来ています。うわぐすり（植物の灰）をかけて焼くことで、独特な色や光沢を出すのが特徴です。

陶器まつりは、多くの人でにぎわってるね！

もっと知りたい！

信長・秀吉・家康の出生地

戦国時代、天下統一に導いた織田信長、天下統一をした豊臣秀吉、江戸幕府を開いた徳川家康は、愛知県の出身なんだよ。三英傑ともよばれているよ。名古屋まつりでは、3人の武将に扮した人が、約600人の武将らをしたがえて歩く郷土英傑行列が人気だよ。

桶狭間古戦場公園の銅像

Q49 喜多方ラーメンが有名な都道府県は？ （←答えは134ページ）

おさらいクイズ

シルエットクイズ

中部地方の9つの県のシルエットだよ！それぞれ、どこかわかるかな？

※シルエットは簡略化してあります。

中部地方

いろいろクイズ

中部地方のクイズにチャレンジ！3つの中から選んでね！

新潟県

新潟県で、洋食器の生産がさかんなのは何市？

❶ 柏崎市
❷ 小千谷市
❸ 燕市

長野県

国立天文台野辺山が世界で初めて存在を証明したものは何？

❶ UFO
❷ 地球の衛星
❸ ブラックホール

富山県

「富山湾の宝石」とよばれる海産物は？

❶ ホタルイカ
❷ 白エビ
❸ ズワイガニ

福井県

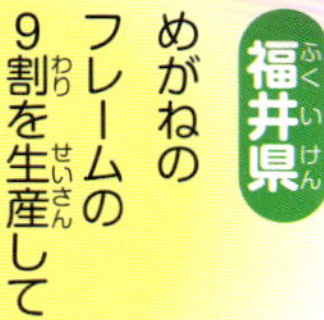

めがねのフレームの9割を生産しているのは何市？

❶ 越前市
❷ 敦賀市
❸ 鯖江市

岐阜県

合掌づくりで有名な白川郷があるのはどこ？

❶ 白川村
❷ 飛騨市
❸ 関ケ原町

石川県

金沢市にある、日本三名園のひとつと言われる庭園の名前は？

❶ 兼六園
❷ 後楽園
❸ 偕楽園

山梨県

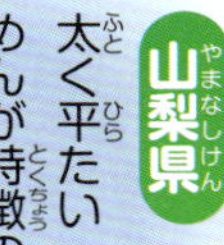

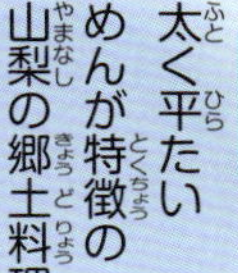

太く平たいめんが特徴の山梨の郷土料理は？

❶ きしめん
❷ ほうとう
❸ ひやむぎ

静岡県

静岡で昔からさかんなスポーツは何？

❶ バレーボール
❷ サッカー
❸ アイススケート

愛知県

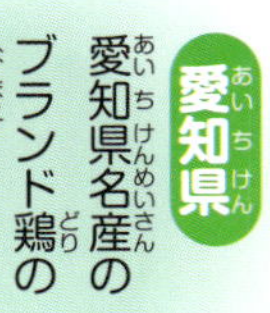

愛知県名産のブランド鶏の名前は？

❶ 名古屋コーチン
❷ 阿波尾鶏
❸ 比内地鶏

答えは、254ページにのっています。

都道府県なんでもランキング

自然ランキング①

山の高さ

1位 富士山（山梨県・静岡県）（3776m）

2位 北岳（山梨県）（3193m）

3位 奥穂高岳（長野県・岐阜県）（3190m）
間ノ岳（山梨県・静岡県）（3190m）

島の大きさ

1位 択捉島（北海道）（3186㎢）

2位 国後島（北海道）（1490㎢）

3位 沖縄本島（沖縄県）（1208㎢）

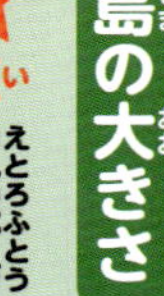

ハンノキ滝は雪どけのころに現れる滝だよ

滝の高さ

1位 ハンノキ滝（富山県）（497m）

2位 称名滝（富山県）（350m）

3位 羽衣の滝（北海道）（270m）

砂丘の広さ

1位 猿ケ森砂丘（青森県）（約1500ha）

2位 鳥取砂丘（鳥取県）（約545ha）

3位 内灘砂丘（石川県）（約200ha）

自然ランキング②

川の長さ

1位 信濃川（新潟県・長野県）（367km）

2位 利根川（千葉県・茨城県・埼玉県など）（322km）

3位 石狩川（北海道）（268km）

川の広さ

1位 利根川（千葉県・茨城県・埼玉県など）（16840km²）

2位 石狩川（北海道）（14330km²）

3位 信濃川（新潟県・長野県）（11900km²）

湖の大きさ

1位 琵琶湖（滋賀県）（670km²）

2位 霞ケ浦（茨城県）（220km²）

3位 サロマ湖（北海道）（151km²）

湖の深さ

1位 田沢湖（秋田県）（423m）

2位 支笏湖（北海道）（360m）

3位 十和田湖（青森県・秋田県）（327m）

琵琶湖は本当に大きいんだね！

昔は日本の中心地、近畿地方！

 都道府県クイズ Q50 宮城県の仙台城に銅像がある「独眼竜」の別名で知られる戦国大名は？

三重県

南北に細長い形が特徴の三重県。日本の東西をつなぐ要所と言われ、真珠や伊勢エビなどの海産物に恵まれています。

伊賀忍者!

交通

道路

東名阪自動車道、伊勢自動車道、紀勢自動車道などで県内を移動できる。

鉄道

JR紀勢本線、近畿日本鉄道の路線などが発達している。

海路

鳥羽港から、フェリーで愛知県へ行くことができる。

ロウソク

ロウソクの出荷額が全国の7割をしめている。

伊賀忍者

伊賀上野は、忍者のふるさととして知られている。

松阪牛

基本データ

県庁所在地	津市
面積	約5774㎢
人口	約178万人
県の花	ハナショウブ
県の鳥	シロチドリ
県の木	ジングウスギ

都道府県クイズ Q51 自動車メーカー、日産の本社がある都道府県は?

自然・環境

志摩半島

志摩半島は、三重県の東部にある半島です。ぎざぎざしたリアス式海岸で知られる英虞湾は、いろいろな形の島が集まって、複雑で美しい海岸線をつくっています。二見浦の沖合に、大きな岩と小さな岩があって、そこは注連縄で結ばれています。夫婦岩とよばれて、人気の観光スポットとなっています。

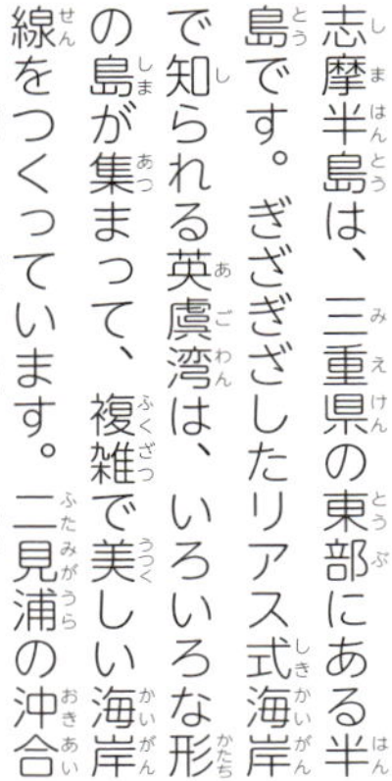

夫婦岩

産業

肉用牛（松阪牛）

松阪市では、肉用牛の飼育がさかんで、特にすぐれた牛として、松阪牛が有名です。ほかの県から仕入れた子牛を、きびしい管理のなかで育てます。また、牛の食欲をあげるようビールを飲ませたり、血行をよくするためのマッサージをするなど、おいしくするための工夫をしています。

真珠

真珠は、アコヤガイという貝の中にでき、昔は養殖はむずかしいと考えられていましたが、今では英虞湾の真珠の養殖が知られています。英虞湾は、江戸時代に、世界で初めて真珠の養殖に成功した島があり、今では真珠島とよばれています。真珠を使ったアクセサリーの生産量は日本一です。

真珠の養殖をするいかだ

伊勢エビ

三重県の太平洋側では、高級食材とされる大きな伊勢エビが多くとれ、漁獲量は日本でもトップクラスです。赤くりっぱな伊勢エビは縁起物としても重宝されます。伊勢エビの「伊勢」は伊勢市の「伊勢」です。

伊勢神宮

伊勢市にある伊勢神宮は、日本を代表する神社です。アマテラスオオミカミをまつった内宮や衣食住の神様をまつった外宮など、125の神社が集まっています。20年に一度、神宮の建物を建てかえる「式年遷宮」は、奈良時代から1300年以上続いています。毎年多くの参拝客がおとずれています。

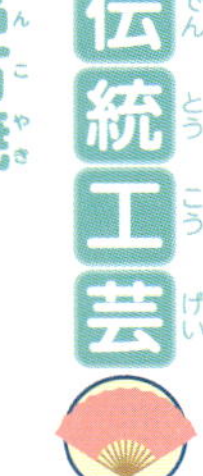

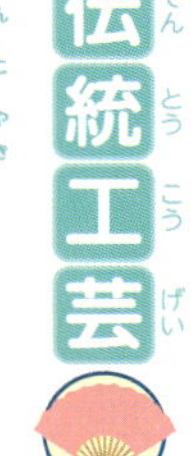

萬古焼

萬古焼は、四日市市などでつくられている焼き物です。うす手で、熱に強いのが特徴で、土鍋や急須が多くつくられています。江戸時代、沼波弄山という人が、焼き方や形にとらわれず、自由につくった焼き物に、永遠に受けつがれることを願って「萬古」と名づけました。四日市市でつくられている土鍋は、全国の土鍋の約8割以上をしめています。

四日市萬古まつり

もっと知りたい！

四日市石油コンビナート

日本の経済が発展していた1959年、四日市市に、石油コンビナートという工場地帯がつくられたよ。その工場から出るけむりで、周辺に住む多くの人がぜんそくなどの病気になったんだ。裁判で、けむりが原因だとみとめられて、かん者をたすける法律もつくられたよ。

都道府県クイズ Q52 群馬県にはめずらしい○○○○○のテーマパークがある。○○○○○に入ることばは？

滋賀県

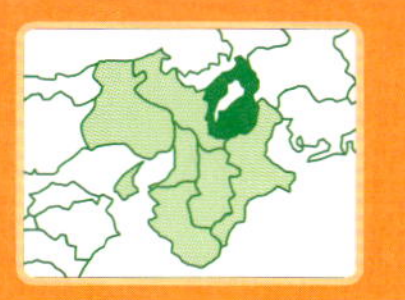

日本一大きい湖、琵琶湖が面積の6分の1をしめる滋賀県。
大阪や京都のベッドタウンとして、発展し続けています。

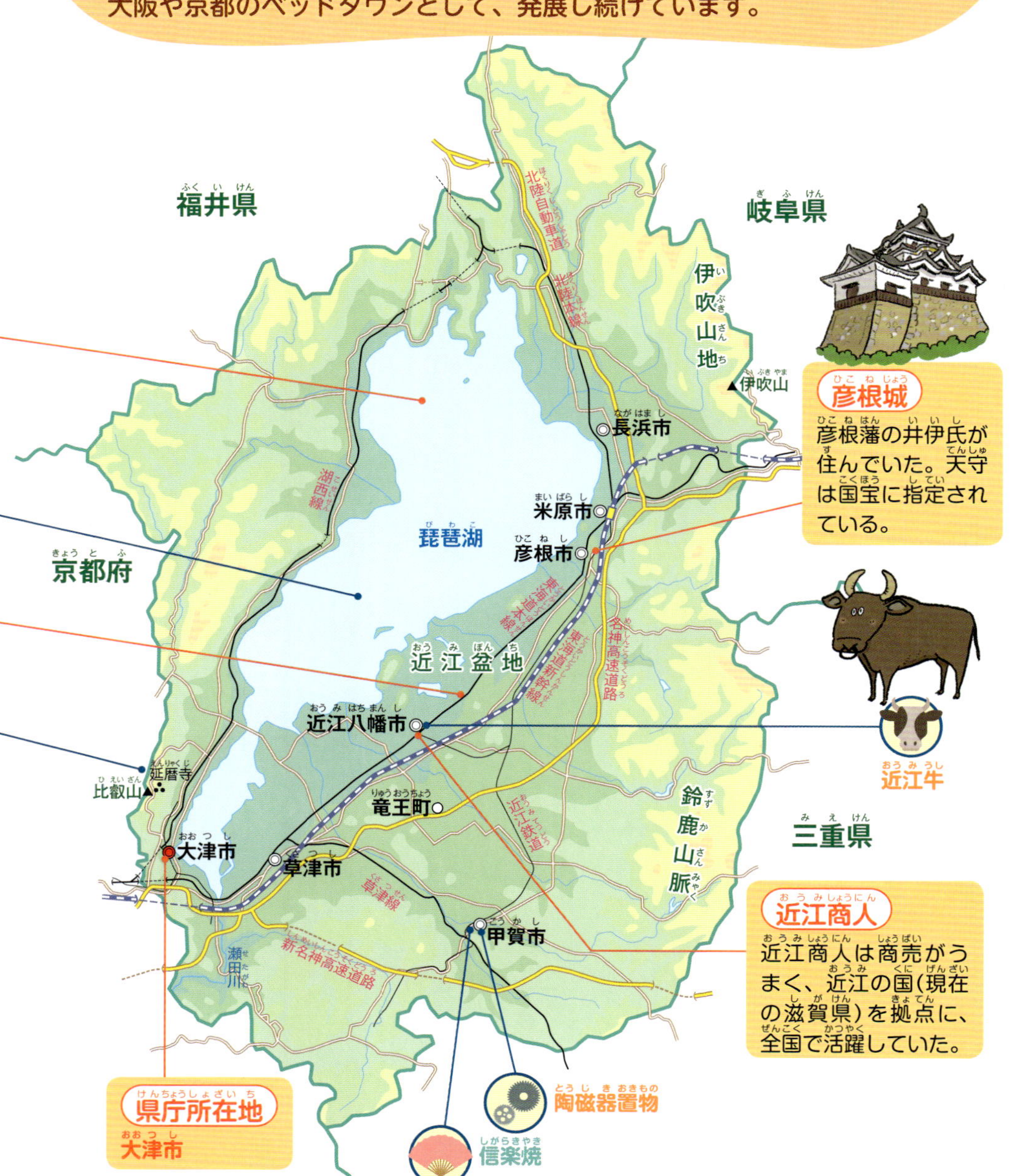

フナずしは美容食？

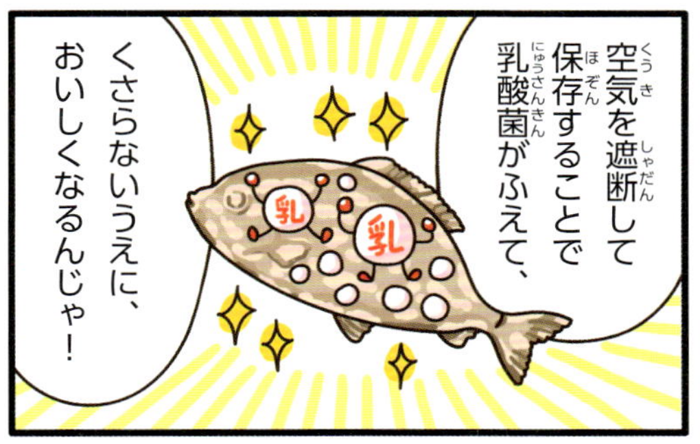

交通

道路

名神高速道路、新名神高速道路、北陸自動車道などで県内を移動できる。

鉄道

新幹線で、東京都、大阪府、広島県などと結ばれている。

ＪＲ東海道本線、北陸本線、湖西線などの路線が走っている。

ＪＲ以外では、近江鉄道などの路線が発達している。

フナ

琵琶湖でとれたフナでつくるフナずしが有名。

琵琶湖

安土城跡

織田信長が1576年に築いた城の跡。

延暦寺

基本データ

県庁所在地	大津市
面積	約4017㎢
人口	約141万人
県の花	シャクナゲ
県の鳥	カイツブリ
県の木	モミジ

都道府県クイズ Q53 東京都にある世界一高い自立式電波塔の名前は？

自然・環境

琵琶湖

琵琶湖は日本一の大きさをほこる湖で、滋賀県の面積の6分の1をしめます。湖の景色が評判で、江戸時代には、琵琶湖周辺の美しい景色に選ばれた近江八景をえがいた歌川広重の浮世絵で広く知られました。2015年に、琵琶湖の生き物や植物、自然などを守るため、琵琶湖再生法(琵琶湖の保全及び再生に関する法律)という法律ができました。

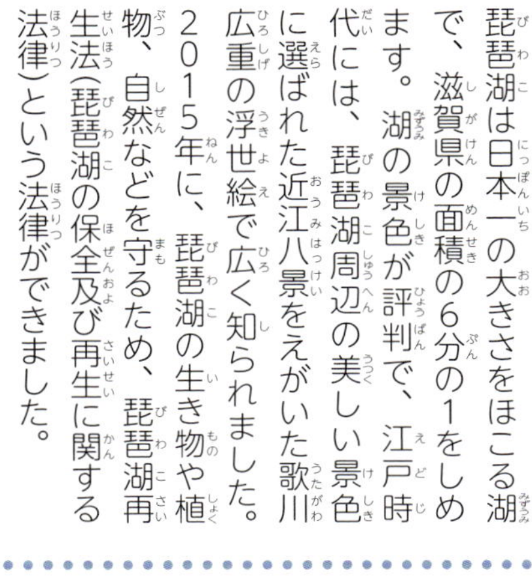

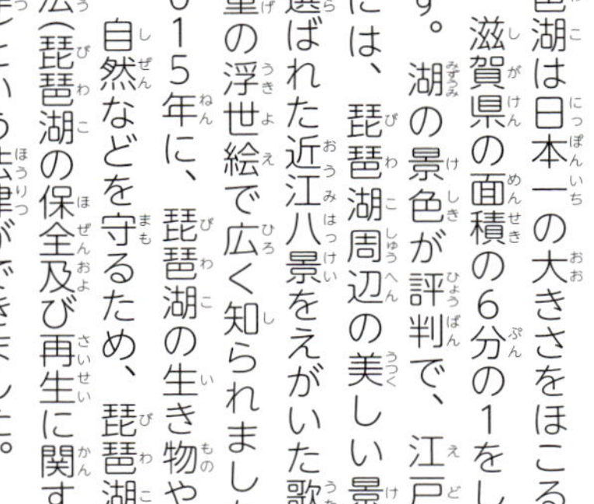

産業

陶磁器置物(信楽焼)

タヌキの置物などで有名な甲賀市は、陶磁器製の置物の生産量がトップクラスです。タヌキの置物は、「他をぬく」ということから、商売がうまくいくことを願って、お店の前などに置かれています。日本一の大きさのタヌキの置物も見られます。置物は、タヌキ以外にもたくさんつくられていて、年末には、翌年の干支の動物の置物づくりが最盛期をむかえます。

肉用牛(近江牛)

近江八幡市で飼育されている近江牛は、400年の歴史があります。三重県の松阪牛、兵庫県の神戸牛と合わせて三大和牛とよばれていて、近江牛がいちばん古いブランド牛です。栄養がたっぷりのえさをあたえて、きれいな牛舎で、ていねいに育てられます。

歴史・伝統・文化

延暦寺

延暦寺は、京都府との県境の比叡山にあります。1200年前の平安時代に、最澄というお坊さんによって開かれました。比叡山一帯を延暦寺と言います。戦国時代に、織田信長によって焼かれてしまいますが、豊臣秀吉、徳川家康によって、建て直されました。1994年に、世界文化遺産に登録されました。

伝統工芸

信楽焼

信楽焼は、甲賀市を中心につくられている陶磁器(焼き物)で、タヌキの置物もそのひとつです。弾力性や強度のある良質な土が多くとれたことで、昔から焼き物の産地として知られていました。土の風合いを残したそぼくさが、多くの人に親しまれています。食器や置物、かさ立てなど、いろいろなものがつくられています。

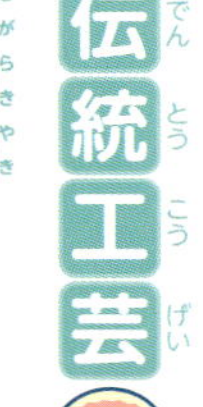

信楽焼をつくる登り窯

もっと知りたい！ 近江商人

江戸時代、近江(滋賀県のこと)出身の商人が全国をまわって商売をしていたよ。品物をかついで売り歩いていたけど、だんだん江戸や京都、大阪にお店をかまえるようになったんだって。商売上手だったから、今の企業の社長さんなど、かれらの商法を参考にしている人もいるよ。

近江商人が活躍した町なみが残る

Q54 「竜田揚げ」の名前の由来になった竜田川が流れている都道府県は？

京都府

「千年の都」と言われるように、長いあいだ日本の中心だった京都府。今でも国内外から多くの観光客がおとずれます。

五山の送り火

交通

道路

名神高速道路、新名神高速道路、舞鶴若狭自動車道などで府内を移動できる。
京都市内は、バス路線が発達している。

鉄道

新幹線で、東京都、広島県、福岡県などと結ばれている。
京阪電鉄、阪急電鉄、地下鉄などの路線が発達している。

海路

舞鶴港から、フェリーで北海道へ行くことができる。

マツタケ

丹波地方のマツタケは、全国的に有名。

五山送り火

五つの山に文字の形の火をともす、夏の風物詩。

基本データ

府庁所在地	京都市
面積	約4612㎢
人口	約258万人
府の花	シダレザクラ
府の鳥	オオミズナギドリ
府の木	キタヤマスギ

清水寺

高い崖に張り出した舞台が見どころで、多くの観光客でにぎわう。

都道府県クイズ Q55 マンガ家、さくらももこが育った清水市（現在は清水区）がある都道府県は？

自然・環境

天橋立

天橋立は、長い時間をかけ、海流や川によって運ばれてきた砂がつもってできました。約5000本の松がならぶ美しい砂浜で、日本三景のひとつになっています。大昔、神様が天から行き来するためのはしごとしてつくったのですが、ねている間にたおれて、今のような形になったという言い伝えがあります。

産業

茶

京都府では、お茶の栽培がさかんです。特に、宇治市で栽培されている宇治茶は高級茶として有名です。鎌倉時代に栄西という僧が中国からお茶を持ち帰ったことから、栽培され始めたと言われています。現在、宇治市の茶畑はへってはいますが、その中で、品質がすぐれたものがつくられています。

茶摘みの体験もできる

聖護院カブ

京都府は面積の多くが山地のため、農業はあまりさかんではありませんが、亀岡盆地などでは、京野菜とよばれる伝統的ないろいろな野菜が栽培されています。日本最大級のカブである聖護院カブもそのひとつ。重さが2～5kgにもなり、千枚漬けの原料としても有名です。

賀茂ナス

賀茂ナスも、京野菜のひとつです。丸みのあるすがたが美しく、「ナスの女王」とよばれています。葉が実にふれるだけできずがつくなど、栽培するのが大変な野菜でもあります。

歴史・伝統・文化

金閣寺

金閣寺は、正式な名前を鹿苑寺と言います。室町時代に、3代将軍の足利義満の別荘として建てられました。庭園の中にある金色の建物(舎利殿)が有名で、極楽浄土をこの世に現していたといわれています。金閣寺の名前も、ここからきたものです。1994年に世界文化遺産に登録されました。

伝統工芸

西陣織

京都市では、平安時代より前から織物の生産がさかんで、なかでも、西陣織は日本を代表する高級絹織物です。室町時代に起こった戦い(応仁の乱)のあと、西軍の陣地だった場所に、織物の職人が集まったことから、西陣織とよばれるようになりました。明治時代になると機械が導入されましたが、手織りで織る伝統も残っています。

もっと知りたい!

清水寺

清水寺は奈良時代の末期に建てられたお寺だよ。清水の舞台が有名で、高いがけから飛び出たところにあるよ。ここから飛びおりると願いがかなうと言われ、飛びおりてなくなった人も。「清水の舞台から飛びおりる」と言うのは、ここから飛びおりるくらいの覚悟をもつという意味で使われるよ。

清水の舞台

都道府県クイズ Q56 おかしの会社、ブルボンの本社がある都道府県は？

大阪府

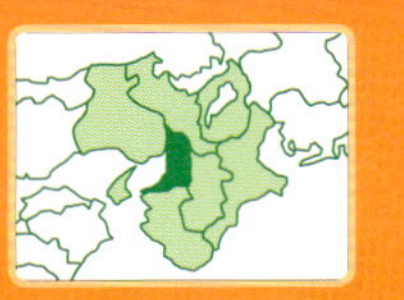

西日本の、政治・経済・文化の中心、大阪府。日本で二番目にせまい都道府県ですが、日本で三番目に多い人口がくらしています。

大阪の人が好きなもの

交通

道路

名神高速道路、阪和自動車道、近畿自動車道などで府内を移動できる。

鉄道

新幹線で、東京都、広島県、福岡県などと結ばれている。

大阪環状線、阪和線などのＪＲ以外にも、私鉄各線、地下鉄などの鉄道網が発達している。

空路、海路

関西国際空港から、国内外の様々な都市へ行くことができる。

大阪南港から、フェリーで愛媛県や九州地方へ行くことができる。

タコ焼き

タコ焼きやお好み焼きなどの、粉物料理が人気。

岸和田だんじり祭

大きな山車が町中をかけめぐる、迫力ある祭り。

基本データ

府庁所在地	大阪市
面積	約1905㎢
人口	約881万人
府の花	サクラソウ、ウメ
府の鳥	モズ
府の木	イチョウ

都道府県クイズ Q57 第99代内閣総理大臣の菅義偉氏が育った都道府県は？

自然・環境

淀川

淀川は、琵琶湖から流れ出た大きな川で、滋賀県、京都府を通って、海（大阪湾）にそそがれます。琵琶湖からの水と大阪湾から逆流した海水が混ざり合うところがあり、スズキやクラゲなどがいて、潮がひくと、シジミやカニなども見られます。自然が豊かなので、家族連れやつり人などがたくさんおとずれます。

淀川の花火大会

産業

シュンギク

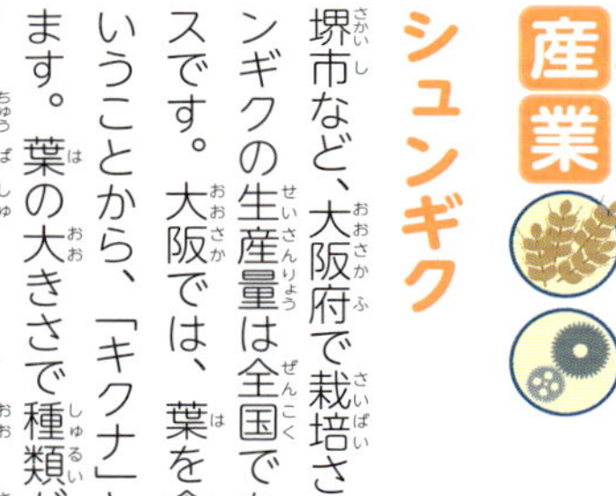

堺市など、大阪府で栽培されているシュンギクの生産量は全国でもトップクラスです。大阪では、葉を食べるキクということから、「キクナ」とよばれています。葉の大きさで種類がちがいますが、中葉種のものが多く栽培されています。なべの時期に人気の食材です。

水ナス

泉佐野市や岸和田市など、泉州地域とよばれる地域で栽培されている伝統野菜です。水分が多いので、昔は畑仕事のときに食べて、のどのかわきをいやすのに重宝されていました。浅漬けなども人気です。

ねじ・ボルト・ナット

東大阪市には6000以上もの町工場があって、「ものづくりの町」ともいわれています。ボルトやナットなど、ねじ類の生産がさかんで、生産量は全国一位です。2009年には、町工場の人たちが力を合わせて、「まいど1号」という人工衛星を完成させました。現在も、医療機器など、新しい製品の開発がすすめられています。

町工場で人工衛星を完成させた

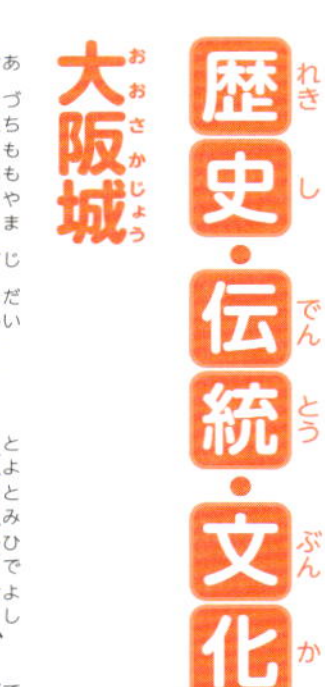

歴史・伝統・文化

大阪城

安土桃山時代に、豊臣秀吉が天下をとったあかしとして建てた城です。1585年に完成しました。1年半をかけて、秀吉の力をしめすように、ごうかなつくりになっています。江戸時代には、かみなりで焼けてしまいましたが、1931年に、寄付によってふたたび建てられました。

伝統工芸

打刃物

打刃物は、鉄を熱して金づちで打って形をつくる鉄製品です。堺市では、昔から鉄砲や日本刀など、鉄製品の生産がさかんでした。その後、たばこの葉をきざむたばこ包丁がつくられて評判となり、江戸時代に出刃包丁がつくられるようになりました。鉄をたたいて形をつくる、とぐ、持ち手をつけるなど、それぞれに職人がいて、分担して作業をしています。

もっと知りたい！

万博記念公園の太陽の塔

太陽の塔は、芸術家の岡本太郎が、1970年に大阪万博のテーマ館の一部としてつくったものだよ。2016年に内部が限定公開されたんだけど、アンモナイトや恐竜など、生命の進化を示す模型が当時は約300体あったんだって。2018年には、内部が一般公開された。

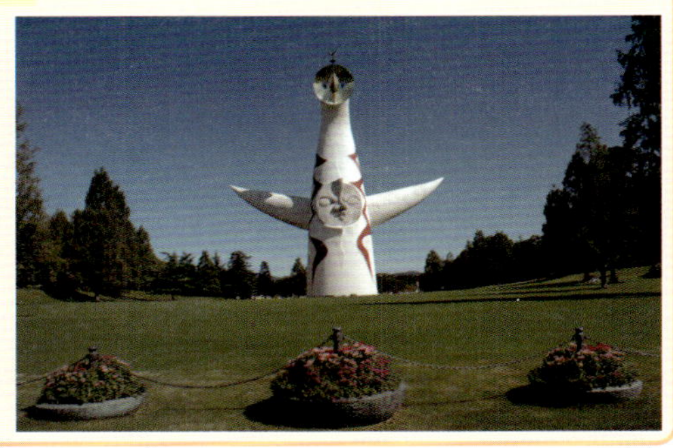

 Q58 名前に「木」がつく都道府県と、「森」がつく都道府県は？

兵庫県

北は日本海、南は瀬戸内海に面している兵庫県。
近畿地方で、一番大きい(面積)県です。淡路島も兵庫県にふくまれます。

竹田城跡

※マチュピチュ……ペルーにある遺跡

交通

道路

名神高速道路、中国自動車道、山陽自動車道などで県内を移動できる。

鉄道

新幹線で、東京都、愛知県、広島県、福岡県などと結ばれている。
加古川線、播但線などのＪＲ以外にも、私鉄各線、地下鉄などの鉄道網が発達している。

空路、海路

神戸空港から、北海道、東京都、沖縄県などへ行くことができる。
但馬空港から、大阪国際空港へ行くことができる。
伊丹の大阪国際空港から、国内の様々な都市へ行くことができる。
神戸港から、フェリーで香川県や九州地方へ行くことができる。

姫路城

巨大望遠鏡

西はりま天文台にある巨大望遠鏡「なゆた」は、公開されているものとして世界最大の大きさ。

基本データ

県庁所在地	神戸市
面積	約8396㎢
人口	約547万人
県の花	ノジギク
県の鳥	コウノトリ
県の木	クスノキ

Q59 北海道で一番多い名字は？

自然・環境

コウノトリの保護

コウノトリは、世界でも数がへっている大型の鳥です。日本では1971年にいなくなりました。最後のコウノトリがいた豊岡市では、コウノトリの人工飼育や繁殖を行い、平成元年に初めてひなが生まれました。平成17年からは、野生にもどす活動も進めて、現在では、自然の中で、200羽以上のコウノトリを見ることができます。

産業

肉用牛(但馬牛)

但馬牛は、豊岡市や香美町などの但馬地方で飼育されています。もとは畑仕事や輸送のためにかわれていました。明治時代に牛肉を食べるようになって、肉の評価も高かったので、食肉用として飼育されるようになりました。但馬牛の中でも、さらにきびしい基準をクリアしたものは最高級品「神戸ビーフ」と名乗れます。

イカナゴ

イカナゴは、春をつげる魚といわれています。春先にとれるので、大阪湾で多くとれ、漁獲量はトップクラスです。イカナゴをあまからく煮た「イカナゴのくぎ煮」は、阪神、淡路地域の郷土料理です。くぎ煮の名前は、イカナゴがくぎの形ににていることからきています。

清酒

西宮市から神戸市の一帯は、灘五郷とよばれ、たくさんの酒造メーカーが集まって日本酒をつくっています。「日本一の酒どころ」ともいわれます。

歴史・伝統・文化

姫路城

姫路城は、昔に建てられた城が何度か整備されて、1617年に今のすがたになりました。屋根や城壁が白く、しらさぎが羽を広げたようなすがたに見えることから、別名「白鷺城」ともいわれています。日本でもっとも美しい城のひとつです。1993年に、日本で初めて世界文化遺産に登録されました。

そのすがたから白鷺城とよばれる

伝統工芸

播州そろばん

播州そろばんは、小野市を中心につくられています。滋賀県の大津で行われていたそろばんづくりが、安土桃山時代に小野市に入ってきたといわれています。農作業の手が空く期間の副業として行われていました。そろばんづくりでは、玉づくり、じくづくり、わくづくり、組み立てなど、100以上の工程があり、職人が作業を分担して行っています。

もっと知りたい！

明石市立天文科学館

世界には、時間を決める基準となる線が通っていて、「標準時子午線」というよ。日本では、その線が明石市立天文科学館の時計台の下にあるんだ。館内では、世界の国や都市の現在の時間を見ることができるんだ。世界の時間が一目でわかる地球儀時計もあるよ。

真下に子午線が通る天文科学館の時計台

Q60 作家の村上春樹氏が育った都道府県は？

奈良県

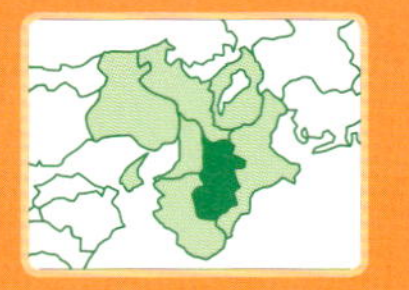

奈良時代まで都があり、古代日本の中心だった奈良県。法隆寺や東大寺など文化遺産がたくさん残っています。

シカ

1300頭もの奈良公園のシカは、神様の使いとして大切にされている。

吉野スギ

林業のさかんな紀伊山地では、吉野スギが有名。

都道府県クイズ Q60の答え 兵庫県

奈良公園のシカ

交通

道路

西名阪自動車道、南阪奈道路、名阪国道、京奈和自動車道などで県内を移動できる。

鉄道

関西本線、桜井線などのＪＲ以外に、近畿日本鉄道の路線が発達している。

法隆寺

法隆寺地域の仏教建造物は、世界遺産に登録されている。

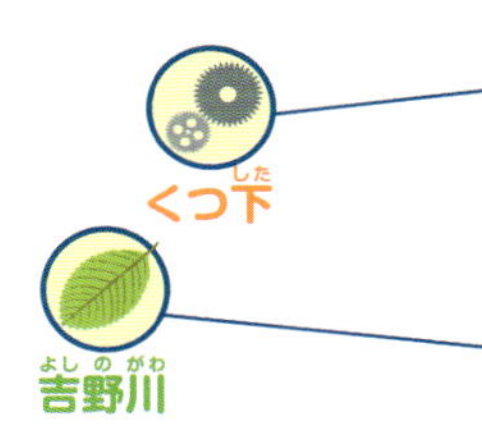

基本データ

県庁所在地	奈良市
面積	約3691㎢
人口	約133万人
県の花	ナラノヤエザクラ
県の鳥	コマドリ
県の木	スギ

Q61 日本で三番目に、人口が少ない都道府県は？

自然・環境

吉野川

川上村の山から流れてくる吉野川は、和歌山県を通って海へと流れていきます。和歌山県では、紀の川とよばれます。吉野川では、川をせき止めて、竹などであんだすだれ状のもの（やな）を置き、流れてくる魚をのせてとる伝統の漁を行っていました。やな漁と言って、日本で最も古い歴史書の『古事記』『日本書紀』にものっている漁です。

伝統のある漁の方法なんだね!!

やな漁のようす

産業

キンギョ

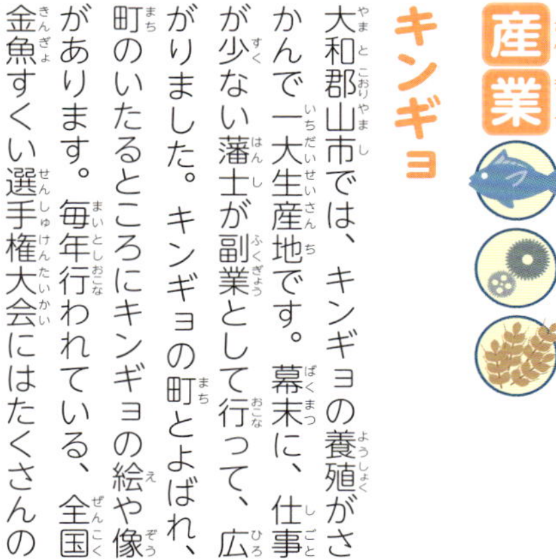

大和郡山市では、キンギョの養殖がさかんで一大生産地です。幕末に、仕事が少ない藩士が副業として行って、広がりました。キンギョの町とよばれ、町のいたるところにキンギョの絵や像があります。毎年行われている、全国金魚すくい選手権大会にはたくさんの人がおとずれます。

くつ下

奈良県は、くつ下の生産量が全国の約4割をしめていて、日本一です。特に広陵町がさかんで、くつ下を作っている会社が150社ほどあります。もともと、くつ下の原料の木綿の産地だったこともあって、発展してきました。

原料になる綿

柿

奈良県は、全国でもトップクラスの柿の産地です。柿の里と言われる五條市では、富有柿など、いろいろな種類の柿を栽培しています。サバやサケの押しずしに柿の葉をまいた、柿の葉ずしも有名です。

歴史・伝統・文化

東大寺大仏

東大寺の大仏様は、「奈良の大仏さん」の愛称で親しまれています。奈良時代に聖武天皇の勅令によってつくられました。その大きさは世界最大級で、座高が約15mもあります。つくるのに約7年かかり、260万人の人が関わったといわれています。当時、貴族の反乱、台風や地震、疫病などの厄災が立て続けに起こり、仏教の力で不安をのぞこうと考えてつくられたのです。

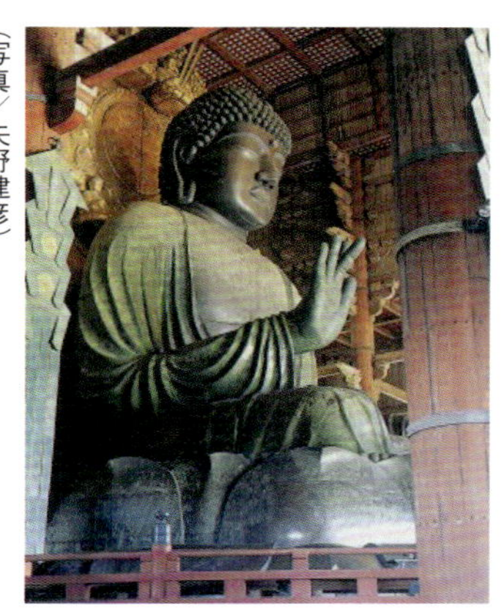
（写真／矢野建彦）

伝統工芸

奈良墨

奈良市では、飛鳥時代に伝わり、1400年以上続く伝統的な墨づくりが今も行われています。全国の墨のほとんどが奈良市でつくられています。作業はすべて手作業で行っていて、原料となるすすなどをよくまぜて、かためてかわかしたら完成です。かわかすのに、1か月から1年かかります。

もっと知りたい！

古の都、奈良

奈良県には、世界最古の木造建築である法隆寺など、古いお寺や神社などがたくさんあり、世界遺産になっているよ。国宝に選ばれている数も全国トップをほこっているんだ。昔ながらの建物がたくさん残っている奈良県は、歴史を感じられる町だと言えるね。

都道府県クイズ Q62 65歳以上の人の割合が一番高い都道府県は？

和歌山県

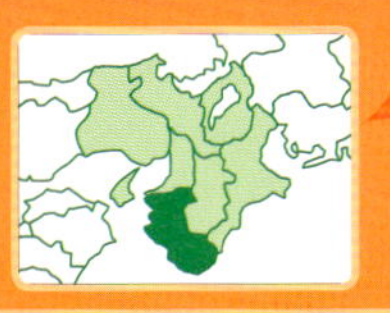

森林が多く「木の国(紀伊国)」と言われる和歌山県。
気候が温暖でミカン、カキ、ウメなどの果物づくりがさかんです。

交通

道路
阪和自動車道、紀勢自動車道などで県内を移動できる。

鉄道
紀勢本線、和歌山線などのＪＲ以外に、南海電気鉄道の路線が発達している。

空路、海路
南紀白浜空港から、東京都へ行くことができる。
和歌山港から、フェリーで徳島県へ行くことができる。

熊野のお参りは…

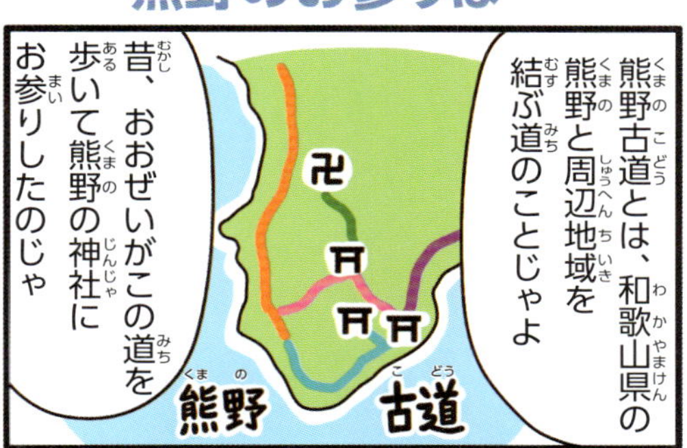

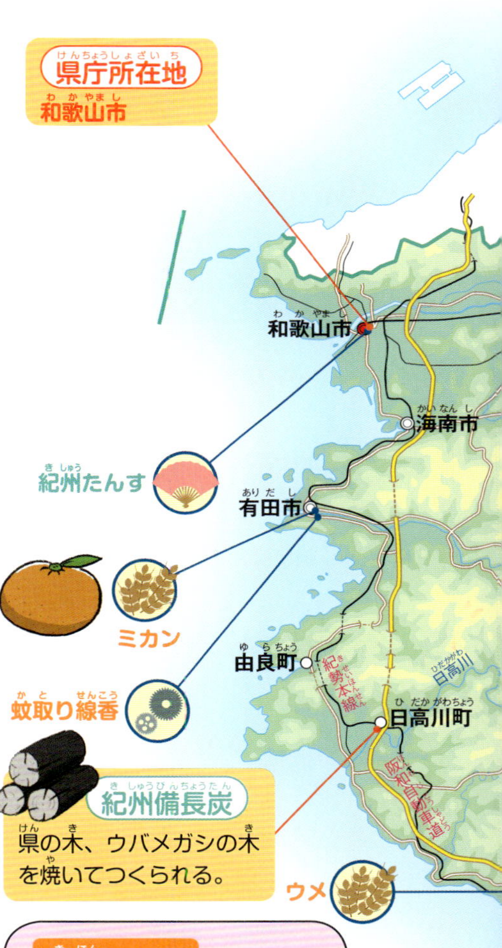

基本データ

県庁所在地	和歌山市
面積	約4725km²
人口	約93万人
県の花	ウメ
県の鳥	メジロ
県の木	ウバメガシ

都道府県クイズ Q63 中部地方で、海に面していない都道府県はいくつある？

自然・環境

南紀白浜

南紀白浜は、白い砂浜で知られる白浜町のことです。名前の通り、真っ白な砂浜が続く海岸があります。海にうかぶ高嶋は、島の真ん中に丸いあながあいているため、円月島とよばれ、親しまれています。夕日がきれいな場所としても有名です。温泉地としても歴史があり、愛媛県の道後温泉、兵庫県の有馬温泉と合わせて日本三古湯といわれます。

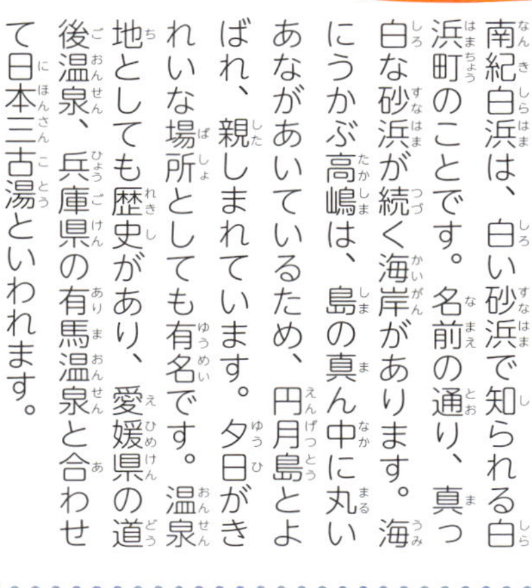
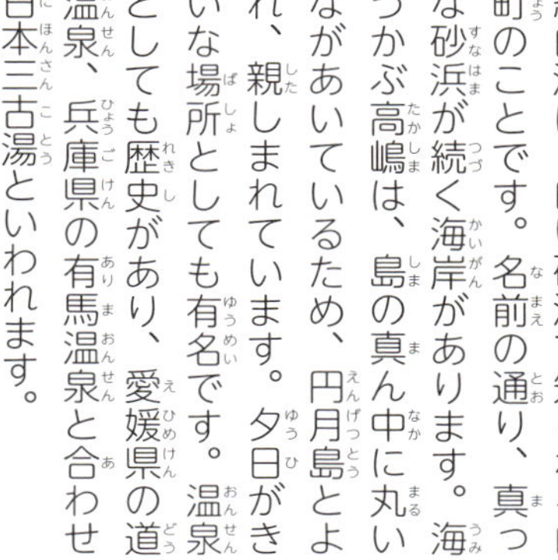
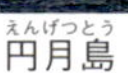
円月島

産業

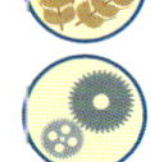

ウメ

和歌山県では、みなべ町や田辺市を中心にウメの栽培がさかんで、生産量は、1965年から56年連続で日本一をほこります。ウメの王様とも言われる南高梅は、みなべ町で生まれました。みなべ町の3分の2がウメ農家といわれます。南高梅の多くが、つくった農家で、梅干しに加工されています。

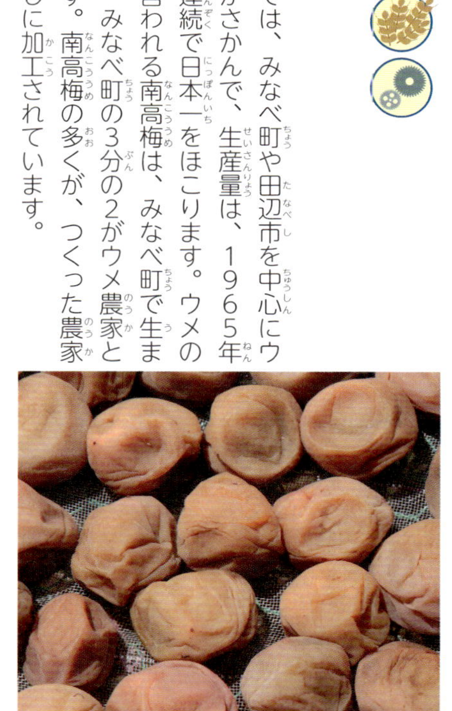

ミカン

和歌山県は、ミカンの栽培もさかんで、収穫量は日本トップクラスです。なかでも有田市は、450年以上続くミカンの産地で、江戸時代には、ここでとれたミカンを船で江戸に運んで売ったといわれています。収穫の季節には、山一面がミカン色にそまります。

蚊取り線香

有田市は、蚊取り線香が生まれた地でもあります。明治時代に、殺虫剤のもとになる除虫菊の栽培をしていたのがきっかけで生まれました。初めはぼうの形をしていましたが、その後、長時間使えるうずまき型になりました。

都道府県クイズ　Q63の答え　長野県、山梨県、岐阜県の3つ。

歴史・伝統・文化

高野山

高野山は、和歌山県の北部にある山です。平安時代、ここに空海（弘法大師）が、修行をするために金剛峯寺を開きました。このお寺を中心に、100以上の寺院が集まっていて、神聖な場所として、多くの人がおとずれます。高野山や熊野三山といわれる神社などを結ぶ山道を熊野古道といい、この一帯が、2004年に世界遺産に登録されています。

金剛峯寺

紀州たんす

紀州たんすは、江戸時代に製作が始まったといわれている桐でできたたんすです。桐はやわらかくて、木目もきれいです。また、火が伝わるのがおそく、中まで焼けにくいことからも、家具の材料として合っていました。紀州たんすは、金属のくぎを使わずに、板を組み合わせてつくる伝統的なつくり方をしています。

もっと知りたい！

太地町は捕鯨発祥の地

日本では、縄文時代からクジラをつかまえていたという説もあるけど、組織的に行うクジラ漁は、江戸時代に、太地町で初めて行われたんだって。舟でクジラを囲んで、もりでさしてつかまえていたんだ。町では、クジラとふれあう体験などができるよ。

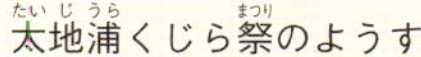
太地浦くじら祭のようす

おさらいクイズ

シルエットクイズ

近畿地方の7つの都道府県のシルエットだよ！それぞれ、どこかわかるかな？

※シルエットは簡略化してあります。

近畿地方

いろいろクイズ

近畿地方のクイズにチャレンジ！　3つの中から選んでね！

三重県

伊賀上野は、何のふるさととして知られている？

❶ カッパ
❷ 忍者
❸ てんぐ

大阪府

万博記念公園に、2018年に内部が公開された塔の名前は？

❶ 潮騒の塔
❷ 太陽の塔
❸ 銀河の塔

兵庫県

豊岡市で保護がすすめられている鳥は？

❶ トキ
❷ タンチョウ
❸ コウノトリ

滋賀県

タヌキの置物で有名な、滋賀県特産の焼き物の名前は？

❶ 伊万里焼
❷ 信楽焼
❸ 益子焼

奈良県

東大寺の大仏の座高は約何m？

❶ 10m
❷ 15m
❸ 20m

京都府

たくさんの松がならぶ、京都府の美しい砂浜はどこ？

❶ 天橋立
❷ 九十九里浜
❸ 三保の松原

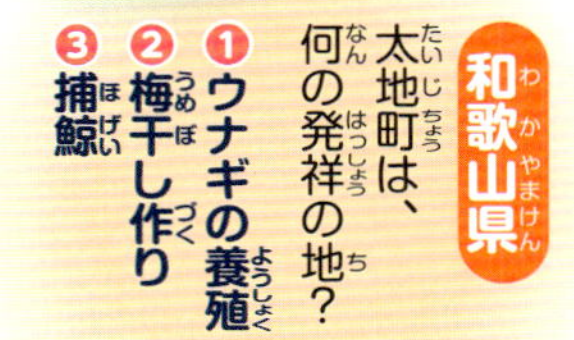

和歌山県

太地町は、何の発祥の地？

❶ ウナギの養殖
❷ 梅干し作り
❸ 捕鯨

答えは、255ページにのっています。

米の収穫量

1位　新潟県（66万7千トン）

2位　北海道（59万4千トン）

3位　秋田県（52万7千トン）

ジャガイモの収穫量

1位　北海道（174万2千トン）

2位　鹿児島県（9万7千トン）

3位　長崎県（9万2千トン）

ジャガイモは北海道が圧倒的に多いね

キャベツの収穫量

1位　群馬県（27万6千トン）

2位　愛知県（24万6千トン）

3位　千葉県（12万5千トン）

トマトの収穫量

1位　熊本県（13万7千トン）

2位　北海道（5万5千トン）

3位　愛知県（4万7千トン）

※米は2020年度、そのほかは2018年度のデータを掲載しています。

農業ランキング②

イチゴの収穫量

1位 栃木県（2万5千トン）

2位 福岡県（1万6千トン）

3位 熊本県（1万1千トン）

ミカンの収穫量

1位 和歌山県（15万6千トン）

2位 静岡県（11万5千トン）

3位 愛媛県（11万4千トン）

リンゴの収穫量

1位 青森県（44万6千トン）

2位 長野県（14万2千トン）

3位 岩手県（4万8千トン）

スイカの収穫量

1位 熊本県（4万7千トン）

2位 千葉県（4万1千トン）

3位 山形県（3万2千トン）

全国的には
ミカンとリンゴの
収穫量が
多いんだよ

※2018年度のデータを掲載しています。

海の幸にめぐまれた、中国地方！

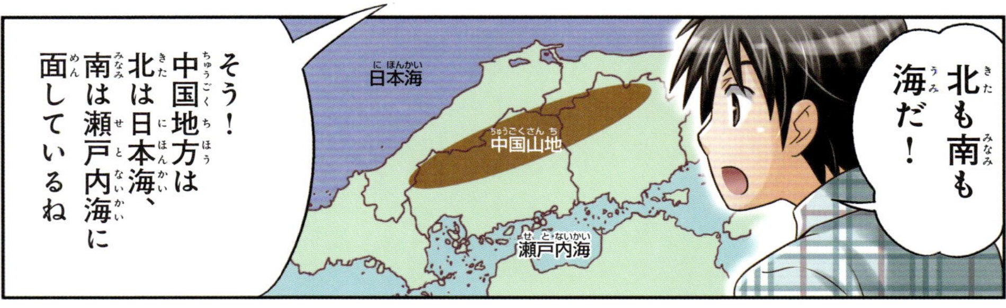

Q65 ○○○県と、漢字３文字の名前の県はいくつある？

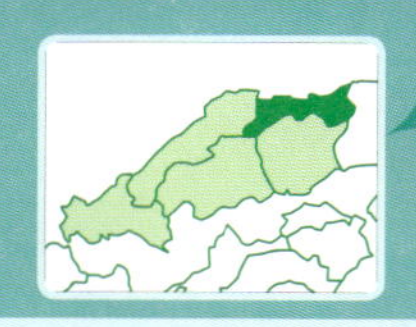

日本最大級の砂丘があり、東西に細長い形をした鳥取県。
二十世紀ナシの収穫量日本一で、カニの漁獲量もトップクラスです。

松葉ガニ

ズワイガニのオスのこと。水揚げ量は全国トップクラス。

県庁所在地

鳥取市

基本データ

県庁所在地	鳥取市
面積	約3507km²
人口	約57万人
県の花	二十世紀ナシの花
県の鳥	オシドリ
県の木	ダイセンキャラボク

因幡の傘踊り

100個の鈴をつけた傘を回しながらおどる伝統芸能。

都道府県クイズ Q65の答え 神奈川県、和歌山県、鹿児島県の３つ。

因幡の傘踊り

因幡の傘踊りは江戸時代の雨ごいが始まりと言われている（※諸説あり）

今の形にしたのは国府町高岡に住んでいた山本徳次郎さんだそうだ
若者に健全な娯楽を！

番傘をふりまわして踊りを考える徳さんを見て
ばばっ!!
イヨ～!!
あははは

近所ではキツネがついたとさわぎになったそうな

徳さんやばい!!

やばい！

ダダダーッ

いや、待って!!

交通

道路

鳥取自動車道、米子自動車道、山陰自動車道などで県内を移動できる。

鉄道

山陰本線、伯備線、因美線などのＪＲや、若桜鉄道や智頭急行の路線がある。

空路、海路

鳥取空港や米子空港から、東京都へ行くことができる。
境港から、フェリーで韓国やロシアへ行くことができる。

自然・環境

鳥取砂丘

鳥取砂丘は、日本最大級の砂丘のひとつで、海風によって砂浜の砂が陸に運ばれ、積もってできたものです。日本海沿岸に、東西に約16km、南北に約2kmにわたって広がり、馬の背とよばれる丘は、高さが47mにもなります。風がふくと砂が動き、さまざまなもようを見せてくれます。砂丘では、らくだに乗ることができ、観光客に人気です。

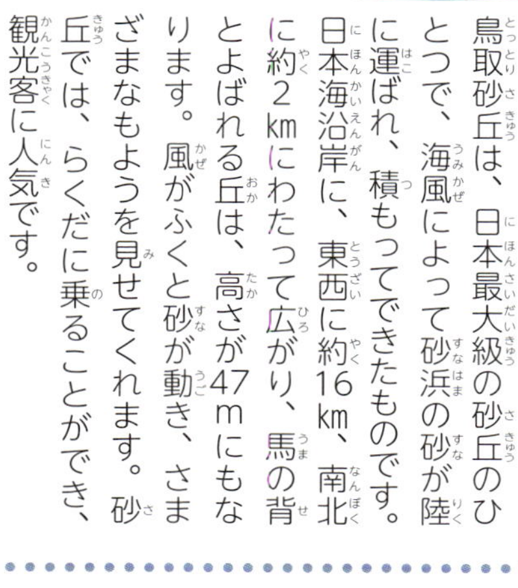

産業

二十世紀ナシ

梅雨に雨が少ない気候がナシの栽培に合っていて生産がさかんです。特に鳥取市を中心に栽培されている二十世紀ナシの生産量は日本一です。明治時代に、栽培が始まって、100年の歴史があり、海外にも輸出されています。毎年、査定会をして、できばえを確認しています。

ラッキョウ

養分が少なく、風で動いてしまう砂丘は、農地として使うことが難しい場所でした。栽培できるように研究や開発を重ねて、最初に栽培されたのが、乾燥に強く、養分が少なくても育つラッキョウでした。鳥取砂丘の東部に位置する鳥取市福部町には、広大なラッキョウ畑が広がっています。ほかにも、砂地を利用した農作物がいろいろ栽培されています。

歴史・伝統・文化

白兎海岸

白兎海岸は、白い砂浜が続く美しい海岸で、日本神話の「いなばの白ウサギ」の舞台として知られています。大国主神が、この海岸を通ったときに、サメをだまして丸はだかにされたウサギをすくったという神話です。海岸近くには、大国主神と白ウサギの銅像や、白ウサギをまつった白兎神社があります。

白兎神社

伝統工芸

因州和紙

因州和紙は、書道などで使われる手すき和紙で、鳥取市でつくられています。平安時代の書物に、この和紙の記録があり、1200年以上の歴史があります。江戸時代に、藩で使う紙として使われるようになって、生産がさかんになりました。材料の植物を繊維状にし、水ですいて乾燥させてつくります。工程のほとんどが手作業で行われます。

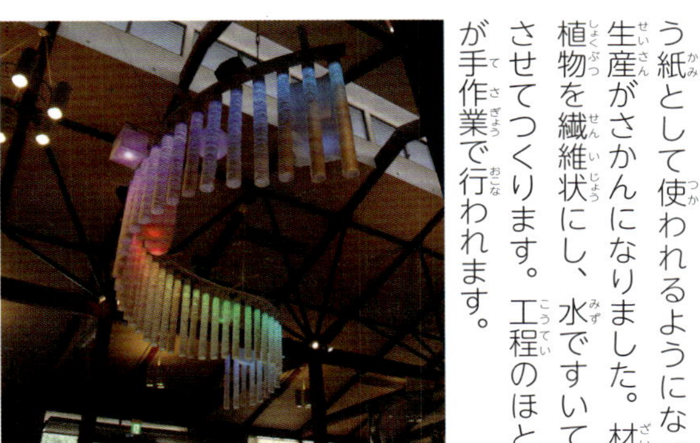

和紙を使った飾り

もっと知りたい！

カニの消費量日本一

鳥取県は漁業がさかんで、ズワイガニやタラバガニなどのカニの水揚げ量は日本一。カニを買ったり食べたりするところもたくさんあって、カニを食べる人の数も日本で一番多いんだよ。県では、カニが旬の時期は、「蟹取県」と名前を変えて観光客にアピールしているよ。

都道府県クイズ Q67 中国地方で、島根県と接していない県は？

島根県

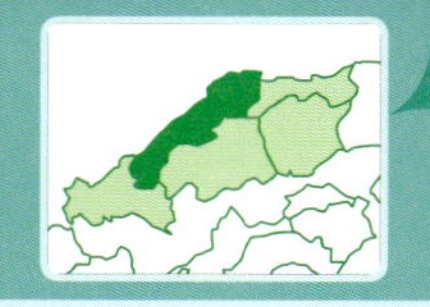

歴史ある出雲大社があり、たくさんの伝説や神話が残る島根県。世界文化遺産に登録されている石見銀山も有名です。

交通

道路
山陰自動車道、松江自動車道、浜田自動車道などで県内を移動できる。

鉄道
山陰本線、三江線、木次線などのＪＲや、一畑電車の路線がある。

空路、海路
出雲空港や石見空港から、東京都、大阪府、福岡県などへ行くことができる。
隠岐諸島へは、出雲空港や鳥取県の境港などから飛行機やフェリーで行くことができる。

基本データ

項目	データ
県庁所在地	松江市
面積	約6708㎢
人口	約67万人
県の花	ボタン
県の鳥	ハクチョウ
県の木	クロマツ

都道府県クイズ Q67の答え 岡山県

どじょうすくい

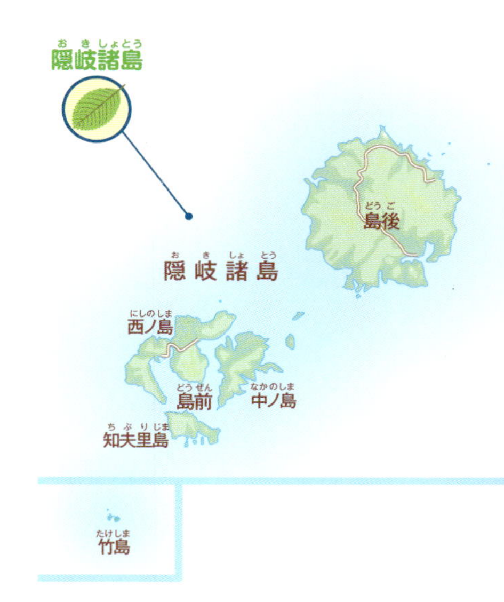

Q68 日本一長いエレベーターがある都道府県は？

自然・環境

隠岐諸島

隠岐諸島は、島根半島の北にうかぶ島じまで、人が住む4つの島と、約180の無人島が集まっています。むかしは、政治にさからった人が流される地でもありました。鎌倉時代に流された後鳥羽上皇をなぐさめるために始められた、大きな雄牛同士がぶつかり合う「牛突き」は、伝統行事として残っています。自然も豊かで、樹齢が約2000年をこえる八百杉や壇鏡の滝など多くの見どころがあります。

伝統行事の牛突き

産業

シジミ

宍道湖は、日本有数のシジミの産地です。湖が日本海とつながっているため、うすい塩水です。そのため、シジミの中でも、うすい塩水を好むヤマトシジミが多く生息しています。一時期はへりましたが、現在は、漁獲量は日本一をほこります。とれたシジミは、大きさごとに分けて、身が入っているかなどをチェックしてから出荷されます。身が入っているかは、こすりあわせることでわかるそうです。

ジョレンという漁具を使ってシジミをとるよ

宍道湖でのシジミ漁

ブドウ

出雲市や益田市で、デラウェアというブドウの栽培がさかんで、日本でも有数の産地です。ビニールハウスで栽培されていて、出雲平野には、ビニールハウスがひしめき合っています。収穫したブドウを使ったワインづくりもさかんで、多くのワインがつくられています。

石見銀山

石見銀山は、日本最大の銀山です。室町時代に博多の商人によって発見されてから、約400年にわたって銀がたくさん採掘されました。世界の銀の約3分の1を産出したといわれます。自然をこわさずに採掘が行われていたことが評価され、採掘の跡地や、銀を運んだ街道、船で運ばれた港や港町が、2007年に世界遺産に登録されています。

間歩とよばれる坑道

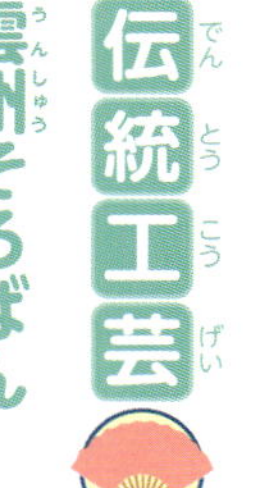

雲州そろばん

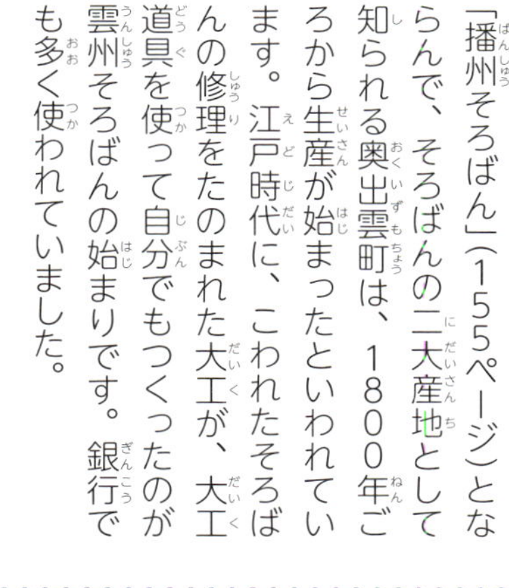

「播州そろばん」（155ページ）とならんで、そろばんの二大産地として知られる奥出雲町は、1800年ごろから生産が始まったといわれています。江戸時代に、こわれたそろばんの修理をたのまれた大工が、大工道具を使って自分でもつくったのが雲州そろばんの始まりです。銀行でも多く使われていました。

もっと知りたい！

出雲大社

出雲大社は、縁結びの神さまとして有名な大国主神がまつられている神社だよ。旧暦の10月のことを「神無月」と言うんだけど、出雲だけ「神在月」と言うんだ。この月に、全国の神さまが出雲大社に集まって会議をするからなんだって。留守をしている神社に留守番はいるのかな。

Q69 東北地方で宮城県と接していない県は？

岡山県

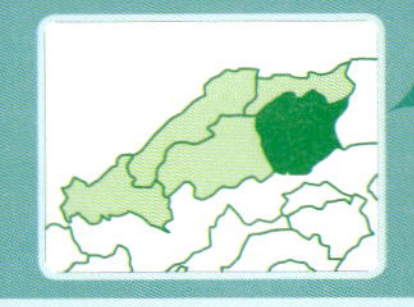

雨の日が少ない「晴れの国」岡山県。マスカットやモモなどの果物づくりがさかんで、学生服の生産量日本一です。

ばらずし

交通

道路

山陽自動車道、中国自動車道、岡山自動車道などで県内を移動できる。

鉄道

新幹線で、東京都、福岡県、鹿児島県などと結ばれている。
山陽本線、伯備線、津山線などのＪＲや、岡山電気軌道などの路線がある。

空路、海路

岡山空港から、北海道、東京都、沖縄県などへ行くことができる。
県内の各港から、フェリーで香川県などへ行くことができる。

伯備線

芸備線

吉備高原

基本データ

県庁所在地	岡山市
面積	約7114㎢
人口	約189万人
県の花	モモ
県の鳥	キジ
県の木	アカマツ

瀬戸内工業地域

倉敷市の水島臨海工業地帯は、瀬戸内工業地域の中心地。

都道府県クイズ Q70 県庁所在地の名前をひらがなで書く都道府県は？

自然・環境

瀬戸内海

瀬戸内海は、日本を代表する美しい景色が見られる場所です。海には、400種類をこえる魚や、天然記念物のカブトガニなどがいます。1934年に、日本で最初の国立公園（瀬戸内海国立公園）のひとつとして指定されました。岡山県と香川県を結んでいる世界最大級の瀬戸大橋も有名です。

瀬戸大橋

産業

マスカット

高級品種であるマスカットの正式名は「マスカット・オブ・アレキサンドリア」で、「くだものの女王」ともいわれています。エジプトが原産地で、あたたかく、雨の少ない気候が合って、岡山市を中心に栽培がさかんです。生産量は日本一で、全国の9割以上をしめています。くだものではほかに、白桃などのモモ栽培もさかんです。

学生服

倉敷市は、繊維の町といわれ、学生服の生産は日本一です。江戸時代から繊維の原料となる綿の栽培をしていたのをきっかけに、足袋などがつくられていて、大正時代に制服をつくるようになりました。デニムの生産もさかんです。

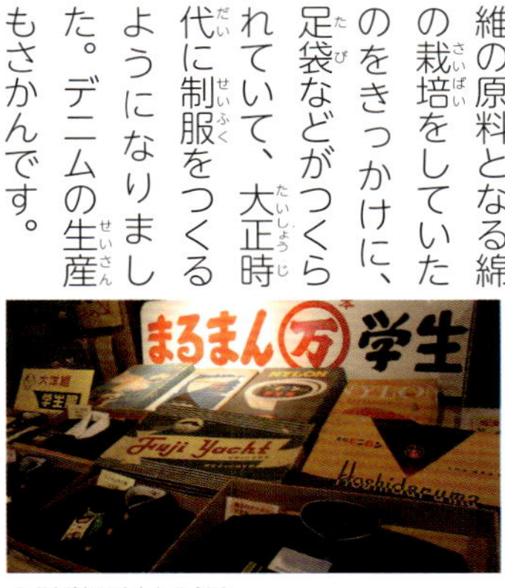

児島学生服資料館

ジャージー牛

蒜山高原は、日本有数の酪農地帯で、ジャージー牛の飼育数はトップクラスです。ジャージー牛は、ニュージーランドから来た乳用牛で、栄養価が高いのですが、一日にとれるミルクの量が少ないのが特徴。ジャージー牛のミルクを使ったプリンなどの乳製品も人気があります。

歴史・伝統・文化

後楽園

後楽園は、日本三名園のひとつです。園内には田んぼがあって、6月には昔ながらの田植えのようすを見ることができます。また、タンチョウがケージの中で飼育されていますが、お正月にはケージから出されて、自由に園内を散策するすがたが見られます。

園内に放たれたタンチョウ

伝統工芸

備前焼

備前焼は、平安時代からつくられている陶器(焼き物)で、備前市を中心につくられています。室町時代から安土桃山時代にかけて茶道が流行したことで、大きく発展しました。光沢を出すくすりなどは使わずに、土の味わいを出すのが特徴です。同じかまで焼いても、火や灰の動きによってできるもようがちがってくるので、同じ作品はありません。

もっと知りたい！

倉敷美観地区

倉敷市では、美しい町なみを残そうという活動をしているよ。倉敷美観地区もそのひとつで、江戸時代にできた土蔵や商人の家などが残る町なみや、明治時代に建てられた洋館などを見ることができるよ。ここを散歩したら、タイムスリップしたように感じるかもね。

舟で町なみを見てまわることもできる

広島県

瀬戸内工業地域の中心地で、造船や自動車工業がさかんな広島県。カキの養殖やレモンの産地としても有名です。

壬生の花田植

おそろいの着物を着た人たちが、歌いながら田植えをする行事。

レモン

レモンの収穫量は、日本一。ネーブルオレンジやハッサクなどの栽培もさかん。

海上自衛隊

呉市の海上自衛隊の基地では、毎週、護衛艦が一般公開される。

基本データ

県庁所在地	広島市
面積	約8479㎢
人口	約280万人
県の花	モミジ
県の鳥	アビ
県の木	モミジ

都道府県クイズ Q71の答え 三重県の津市。

お好み焼き

交通

道路
山陽自動車道、中国自動車道、尾道自動車道などで県内を移動できる。

鉄道
新幹線で、東京都、福岡県、鹿児島県などと結ばれている。
山陽本線、芸備線、福塩線などのＪＲや、広島電鉄などの路線がある。

空路、海路
広島空港から、北海道、東京都、沖縄県などへ行くことができる。広島港から、フェリーで瀬戸内海の島々や愛媛県などへ行くことができる。

島根県

県庁所在地
広島市

お好み焼き
広島のお好み焼きは、材料をまぜずに重ねて焼くのが特徴。

阿佐山
恐羅漢山
太田川

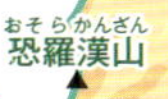

廿日市市
広島湾

厳島神社
宮島にある厳島神社は世界遺産。海の中に立つ鳥居が有名。

厳島神社
宮島（厳島）

山口県

宮島
カキ
熊野筆

都道府県クイズ Q72 東京都で一番多い名字は？

自然・環境

宮島

宮島は、正式には厳島と言います。瀬戸内海にある島で、日本三景のひとつです。宮島は大昔から島全体が神として信仰されていて、昔ながらの自然が多く残っています。お寺や神社もあちらこちらにあります。なかでも、海の上にうかぶ厳島神社は、有名で多くの観光客がおとずれます。宮島の山や海は、厳島神社とともに、世界文化遺産に登録されています。

厳島神社

産業

自動車

戦時中、広島県には軍の主要な施設があり、技術者が多くいました。戦後はその技術を生かして、船や自動車など、ものづくりがさかんに行われました。なかでも自動車づくりは、大手の自動車メーカー(マツダ)の本社が府中町にあったことで発展しました。周辺の広島市などには、ハンドルなど自動車の部品をつくる会社がたくさんあります。

カキ

広島湾周辺は、波が静かで、えさになるプランクトンも多いことが養殖に適していて、昔から様々な養殖業がさかんでした。なかでも、カキの養殖は江戸時代から行われていたといわれ、収穫量は日本一です。竹で組んだいかだに、カキのたまごをつけた貝がらをつるして育てます。

福山自動車時計博物館

養殖カキの収穫

歴史・伝統・文化

原爆ドーム

原爆ドームは、もとは広島県産業奨励館とよばれる物産品の展示や販売をする美しい建物でした。1945年8月6日、広島に原子爆弾が落とされて、今のすがたになったのです。原子爆弾のひさんさを伝えていこうと、「原爆ドーム」としてそのまま残されることになりました。1996年に世界遺産に登録されています。

伝統工芸

熊野筆

熊野町でつくられている毛筆や画筆（絵筆）、化粧筆のどれもが、全国の生産量の約八割をしめています。江戸時代、畑仕事がない時期に出かせぎに出て、奈良ですみや筆を仕入れて売りながら帰ってきたのがきっかけで、つくるようになりました。明治時代になって、学校に行く子どもがふえ、筆が多く使われるようになって、大きく発展しました。

もっと知りたい！

海上自衛隊

呉市には海上自衛隊の基地があって、日曜日には護衛艦が公開されているよ。毎週ちがう艦が見られるから人気なんだ。「アレイからすこじま」という公園では、現役の潜水艦が間近で見られるよ。船が好きな人にはたまらない場所だね。海上自衛隊の歴史が見られる施設もあるよ。

Q73 日本で三番目に、人口が多い都道府県は？

山口県

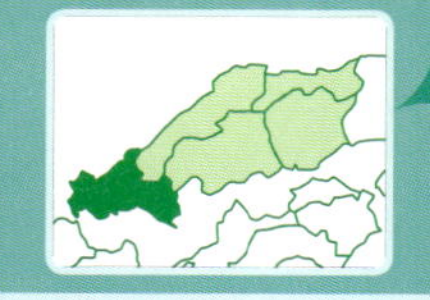

本州の一番西にある山口県。九州と海底トンネルでつながっています。海に囲まれていて、漁業や石油化学工業がさかんです。

基本データ

県庁所在地	山口市
面積	約6113㎢
人口	約136万人
県の花	ナツミカン
県の鳥	ナベヅル
県の木	アカマツ

萩焼
萩市周辺でつくられている焼き物。

松下村塾

錦帯橋
錦川にかかる錦帯橋は、アーチ形の木造の橋が5つも連なっている。

県庁所在地
山口市

関門トンネル
関門海峡の下を通る海底トンネル。本州と九州をむすんでいる。

山口は総理大臣が多い！

交通

道路

山陽自動車道、中国自動車道、山陰自動車道などで県内を移動できる。

鉄道

新幹線で、東京都、福岡県、鹿児島県などと結ばれている。
山陽本線、宇部線、山陰本線などのＪＲや、錦川鉄道の路線がある。

空路、海路

山口宇部空港や岩国錦帯橋空港から、東京都などへ行くことができる。
県内の各港から、フェリーで福岡県、愛媛県、大分県などへ行くことができる。

アマダイ

高級魚として知られるアマダイ類の漁獲量は、日本一。

 Q74 人口あたりの小学校の数が一番多い都道府県は？

自然・環境

秋吉台

秋吉台は、石灰岩などが雨水などにとけてできたカルスト台地です。このあたり一体が海だったと言われていて、秋吉台のもとは、およそ3億5000万年前にできた海のサンゴしょうが化石になったものです。石灰岩の中から、大昔の海の生物の化石が見つかります。秋吉台の地下には、日本で最大級の秋芳洞をはじめ、多くの鍾乳洞があります。

産業

フグ

下関港では、フグの水あげがさかんに行われています。下関では、フグは福に通じるものとして、「フク」とよばれています。フグの毒をとりのぞく工場がたくさんあるので、全国から水あげされたフグがここに集まってきます。下関で処理されてから、東京や大阪に運ばれます。これらのフグを取引する場所として、南風泊市場という、日本でゆいいつのフグ専用の魚市場もあります。

活気のあるふく競り

ミカン・夏ミカン

周防大島町は、ミカンの栽培がさかんで、「ミカンの島」とよばれています。主につくられているミカンは、温州ミカンです。なべにミカンを丸ごと入れた「ミカン鍋」が名物になっています。また、萩市は、夏ミカンを初めて販売するために栽培したことから、夏ミカン発祥の地と言われています。

夏ミカン

歴史・伝統・文化

松下村塾

松下村塾は、幕末に、思想家だった吉田松陰が若者たちに学問を教えていた萩市にある塾です。生徒の中に、倒幕運動の中心となった久坂玄瑞や高杉晋作、初代総理大臣となった伊藤博文などがいます。塾は1年あまりでしたが、松陰の教えがその後の日本に大きなえいきょうをあたえました。2015年に世界文化遺産に登録されました。

伝統工芸

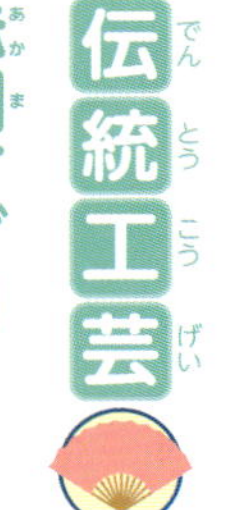

赤間すずり

赤間すずりは、宇部市でとれる赤間石というきれいな赤茶色の石がつかわれています。ねばりのある石で、彫刻がしやすいのが特徴です。鎌倉時代からつくられていて、鶴岡八幡宮にお供えされたといわれています。江戸時代には、赤間石がとれる山に、藩主のゆるしがないと入ることができなかったため、手に入れるのがむずかしい貴重なすずりでした。

石を削ってつくられるすずり

もっと知りたい! 関門トンネル

関門トンネルは、下関から九州の福岡県北九州市につながる海底トンネルだよ。車道の下に歩行者用の道もあって、世界でもめずらしいつくりだよ。歩くと15分ほどで九州にわたれちゃうんだ。とちゅうに、山口県と福岡県の県境が表示されているよ。なんだかわくわくするね。

Q75 大学の数が一番多いのは東京都。では二番目に多い都道府県は?
(←答えは194ページ)

おさらいクイズ

シルエットクイズ

中国地方の5つの県のシルエットだよ！それぞれ、どこかわかるかな？

瀬戸内海側と日本海側に分けて考えるといいよ！
1
2
3
4
5

※シルエットは簡略化してあります。

中国地方

いろいろクイズ

中国地方のクイズにチャレンジ！3つの中から選んでね！

市の名前を答える問題はむずかしいね

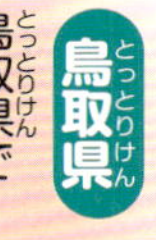

鳥取県
鳥取県で生産がさかんなナシの品種は？
① 新高
② 幸水
③ 二十世紀

広島県
呉市にある自衛隊は何自衛隊？
① 陸上自衛隊
② 航空自衛隊
③ 海上自衛隊

島根県
大国主神がまつられている歴史ある神社は？
① 出雲大社
② 下鴨神社
③ 日枝神社

山口県
山口県と福岡県をむすぶトンネルは何トンネル？
① 関門トンネル
② 青函トンネル
③ 八甲田トンネル

岡山県
学生服の生産量日本一の市は何市？
① 岡山市
② 倉敷市
③ 備前市

答えは、255ページにのっています。

水産業ランキング

海面漁業の漁獲量

1位　北海道（88万2千トン）

2位　茨城県（29万1千トン）

3位　長崎県（25万1千トン）

海面養殖業の漁獲量

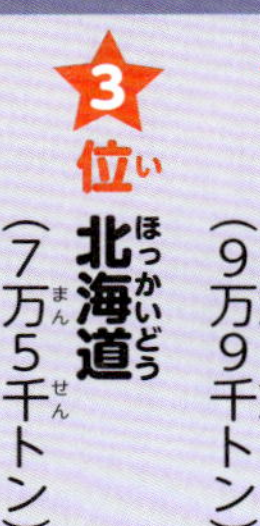

1位　広島県（10万2千トン）

2位　青森県（9万9千トン）

3位　北海道（7万5千トン）

内水面漁業は、川や池などの淡水で行われる漁業のことだよ

内水面漁業の漁獲量

※養殖業は除く。

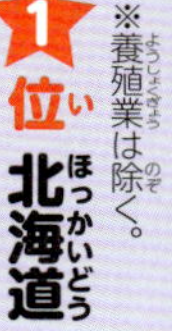
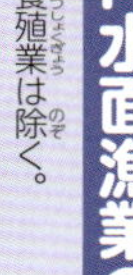
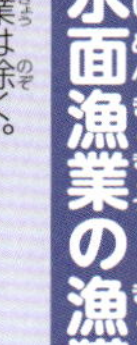

1位　北海道（6400トン）

2位　島根県（4100トン）

3位　青森県（3900トン）

漁港数

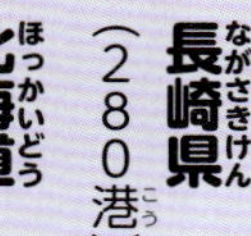
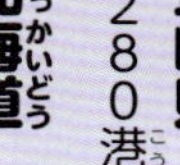
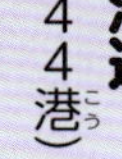

1位　長崎県（280港）

2位　北海道（244港）

3位　愛媛県（195港）

※2019年度のデータを掲載しています。

畜産業ランキング

乳用牛の飼育頭数

1位 北海道（80万頭）

2位 栃木県（5万2千頭）

3位 熊本県（4万4千頭）

肉用牛の飼育頭数

1位 北海道（51万頭）

2位 鹿児島県（34万頭）

3位 宮崎県（25万頭）

ブロイラーは、短期間で出荷できる食用の若鶏のことだよ

豚の飼育頭数

1位 鹿児島県（127万頭）

2位 宮崎県（84万頭）

3位 北海道（69万頭）

ブロイラーの飼養羽数

1位 宮崎県（2820万羽）

2位 鹿児島県（2790万羽）

3位 岩手県（2160万羽）

※2019年度のデータを掲載しています。

「4つの国」で、四国地方！

4つの県で四国地方なんだ！分かりやすい！
古い名前は、阿波、讃岐、伊予、土佐といって
やっぱり昔から4つの国があったから四国なんだね
香川県
愛媛県
徳島県
高知県

讃岐うどんの讃岐！
あと土佐ガツオの土佐ね！
その通り！

昔の国名ってけっこう今の日常生活でも使われているのね
さつまいもとかも

あれ？四国の北の方もこないだ言ってた「太平洋ベルト地帯」に入ってる？
そう！よく気が付いたね

都道府県クイズ Q76 日本で三番目に、面積が小さい都道府県は？

徳島県

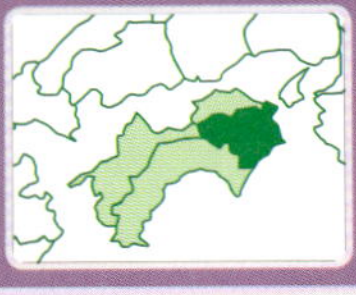

400年の歴史がある阿波おどりが有名な徳島県。面積のほとんどが山地です。生シイタケとスダチの収穫量は日本一です。

香川県
讃岐山脈
徳島自動車道
高松自動車道
霊山寺
鳴門市
鳴門線
高徳線
徳島阿波おどり空港
鳴門海峡
阿波市
吉野川
徳島平野
眉山
徳島市
吉野川市
徳島線
美馬市
神山町
阿南市
剣山
剣山地
蒲生田海岸
大浜海岸
牟岐線

サツマイモ
霊山寺

ワカメ
鳴門海峡周辺は、「鳴門ワカメ」の養殖がさかん。

鳴門海峡
カリフラワー
阿波正藍しじら織

県庁所在地
徳島市

LED
世界シェアトップクラスのLEDメーカーがあり、関連企業も多い。

阿波おどり
400年の歴史がある祭り。県内各地で行われている。

アカウミガメ
大浜海岸周辺は、アカウミガメが産卵にやってくる。

スダチ

阿波おどり

交通

道路

徳島自動車道、高松自動車道などで県内を移動できる。

鉄道

徳島線、高徳線、牟岐線などのＪＲや、阿佐海岸鉄道の路線がある。

空路、海路

徳島阿波おどり空港から、東京都、福岡県などへ行くことができる。
徳島港から、フェリーで東京都、和歌山県、福岡県などへ行くことができる。

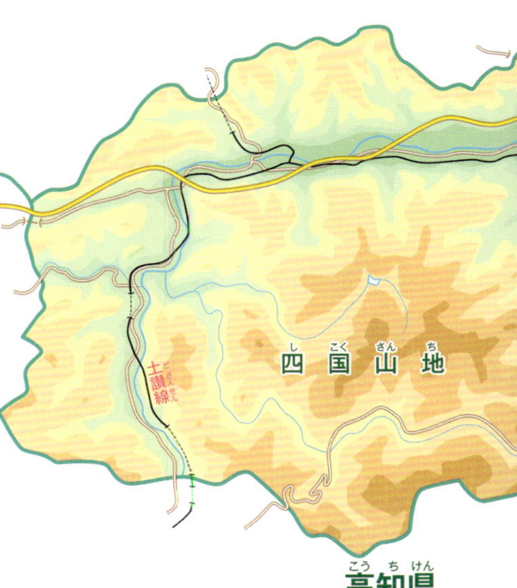

基本データ

県庁所在地	徳島市
面積	約4147㎢
人口	約73万人
県の花	スダチ
県の鳥	シラサギ
県の木	ヤマモモ

Q77 福岡県で一番多い名字は？

自然・環境

鳴門海峡

鳴門海峡は、鳴門市と兵庫県淡路島の間にあります。ここにかかる大鳴門橋の下で、世界最大潮流のひとつといわれる大きなうず潮が見られます。潮の満ち引きで、せまい海峡に潮が一気に流れることで起こります。大潮のときは、流れの速さが最速で時速約20㎞、うずの大きさは直径20～30mにもなります。

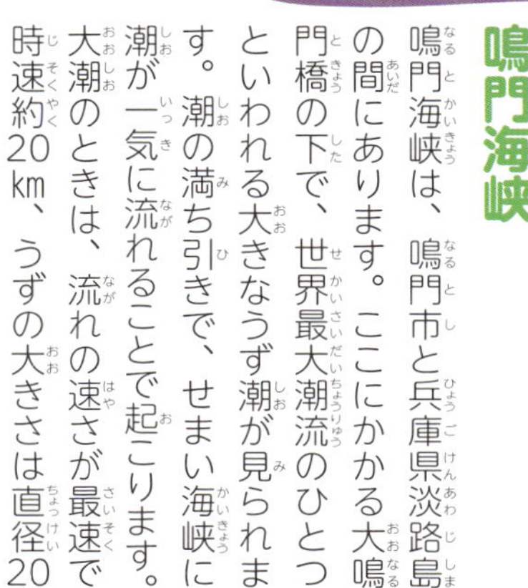

鳴門のうず潮

産業

スダチ

スダチは徳島県を代表する特産物で、全国のスダチのほぼ十割近くが徳島県で栽培されています。特に多く栽培している神山町では、古くから栽培されていたといわれています。町には、樹齢が約二百年になるスダチの古木があり、今も実をつけています。

カリフラワー

徳島県では野菜の栽培がさかんで、おもに京阪神に出荷されています。徳島市では、カリフラワーの生産量が日本一をほこります。カリフラワーは発達していないつぼみの部分を食べます。つぼみは、日に当たると黄色くなるので、外の葉を折って日に当たらないように注意して育てています。

サツマイモ

徳島県は日本でも有数のサツマイモの産地です。なかでも鳴門市でつくられている「なると金時」は、人気が高く、徳島県を代表する農産品です。

歴史・伝統・文化

霊山寺

四国では、弘法大師・空海が修行をした八十八の寺院をめぐる（お遍路）「四国八十八か所めぐり」が行われています。人生を見つめ直したり供養をするなど、目的はさまざま。すべてをめぐると約1200kmにもなります。八十八か所めぐりの最初の寺が霊山寺となります。白装束で、すげがさをかぶり、つえを持って歩くのが伝統的なお遍路のかっこうです。

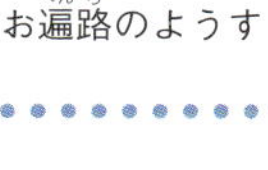

お遍路のようす

伝統工芸

阿波正藍しじら織

徳島県は、藍ぞめのもとになる「すくも」づくりの本場で、徳島のすくもは阿波藍とよばれます。阿波藍でそめた阿波正藍しじら織は、徳島市を中心につくられています。シボとよばれるでこぼこがあるのが特徴です。江戸時代に、雨にぬれた織物を天日でかわかしたところ、ちぢんだことをヒントに、織り方などを工夫して生まれたといわれています。

もっと知りたい！ 青色LED

徳島県には、寿命が長くて省エネでもあるLEDを研究する企業がたくさんあって、LEDの先進地域といわれているよ。青色LEDを世界で初めて製品化させたのも徳島の企業なんだ。赤や緑のLEDはつくられていたけど、青色ができたことで、白色などあらゆる色がつくれるようになったんだよ。

LEDを使ったイルミネーション

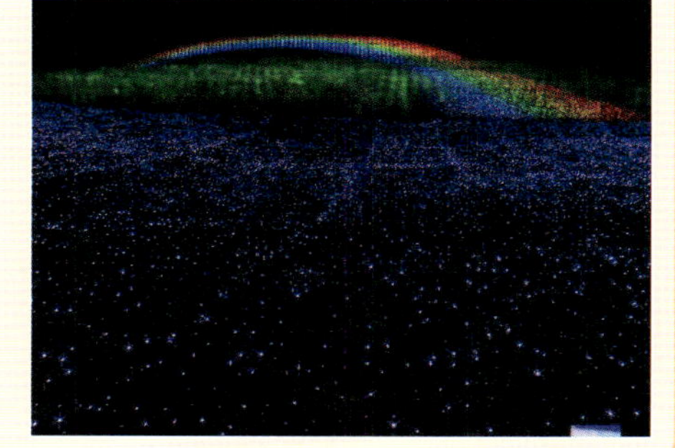

香川県

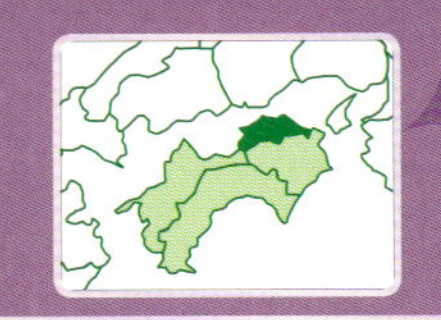

日本一、面積の小さい香川県。さぬきうどんが有名で、人口一人あたりのうどん・そば店の数が日本一多い県でもあります。

アートの島

島のいたるところで、現代美術が見られる直島。

県庁所在地

高松市

うどん

うどんの消費量は、日本一。「讃岐うどん」は、太くてこしの強い麺が特徴。

満濃池

まんのう町にある、日本最大のため池。

基本データ

県庁所在地	高松市
面積	約1877㎢
人口	約96万人
県の花	オリーブ
県の鳥	ホトトギス
県の木	オリーブ

香川のうどん屋さん

交通

道路

高松自動車道、瀬戸中央自動車道などで県内を移動できる。

鉄道

予讃線、土讃線などのJRや、高松琴平電気鉄道の路線がある。

空路、海路

高松空港から、東京都、沖縄県などへ行くことができる。

高松港などから、フェリーで兵庫県、岡山県などへ行くことができる。

都道府県クイズ Q79 15歳未満の人の割合が一番高い都道府県は?

自然・環境

讃岐平野

讃岐平野は、四国で最も大きい平野です。香川県は昔から雨が少なく、川の水量も少なかったので、米づくりのためにため池をつくっていました。江戸時代に、新田開発が進んだことで、一気にふえて、大小合わせて一万四千をこえるため池があります。なかでも満濃池は日本最大のため池で、弘法大師・空海がなおしたことで知られています。

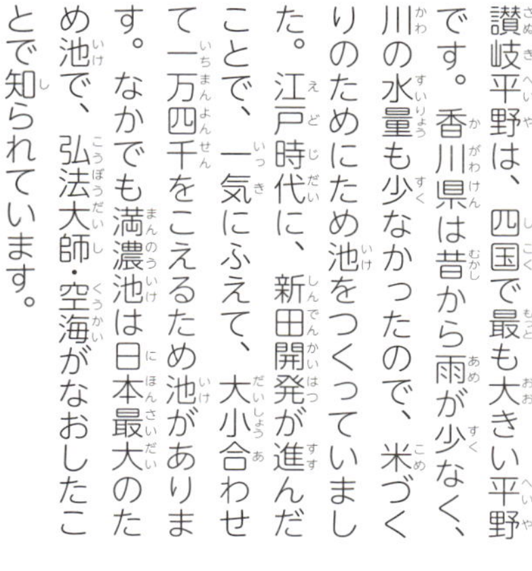

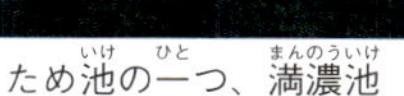
ため池の一つ、満濃池

産業

オリーブ

小豆島は瀬戸内海にある島で、明治時代に日本で初めてオリーブ栽培に成功しました。生産量は日本一で、日本のオリーブの十割近くが小豆島でつくられています。オリーブは、食べるだけではなく、化粧品の原料としても使われます。島のいたるところでオリーブの木が見られます。役所には、オリーブづくりをサポートしたり、イベントを企画するオリーブ課もあります。

ニンニク

香川県では、琴平町を中心にニンニクの栽培がさかんで、生産量も全国でトップクラスです。琴平町でつくられている、においが強くて大きい「こんぴらにんにく」は人気があります。

ハマチ

瀬戸内海側では、波が静かでそれほど深くない海を生かした養殖がさかんです。特にハマチなど、ブリ類の養殖が多く行われています。ほかには、ノリの養殖もさかんです。

歴史・伝統・文化

金刀比羅宮

金刀比羅宮は、琴平山の中ほどにある神社で、「こんぴらさん」として親しまれています。参道にある、1368段の石段が有名です。全国にある金毘羅神社や琴平神社の本宮になります。航海安全や商売はんじょう、豊作など、はば広くご利益があるといわれ、昔から多くの人がおとずれていました。江戸時代には、大阪から参拝のための船も来ていました。

伝統工芸

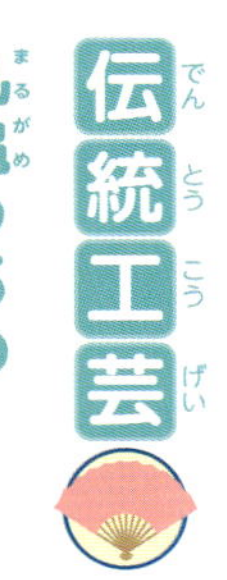

丸亀うちわ

丸亀市では、日本のうちわの9割がつくられています。丸亀うちわは、取っ手と骨が一本でつくられていて、柄が平なのがとくちょうです。江戸時代に金刀比羅宮に参拝するお客さんのお土産としてつくられたのが始まりといわれています。紙は土佐(高知県)で竹は伊予(愛媛県)、のりは阿波(徳島県)と、うちわの材料の産地が近かったこともあって発展しました。

もっと知りたい!

直島（アートの島）

直島は瀬戸内海にある島で、島が丸ごと美術館のような「アートの島」として、外国でも人気なんだ。港にある大きな赤いかぼちゃなど、島のあちらこちらに、独特な作品や建物が見られるよ。ふしぎな世界にまよいこんだような気持ちになっちゃうかもね。

草間彌生「赤かぼちゃ」2006年　直島・宮浦港緑地(写真／青地大輔)

Q80 人口あたりの小学校の数が一番少ない都道府県は？

愛媛県

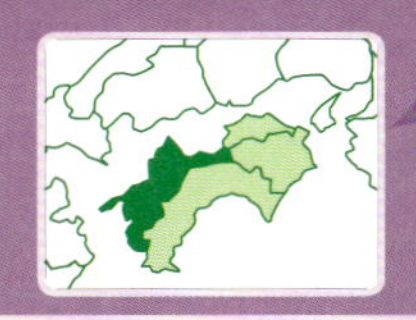

ミカン、イヨカン、キウイフルーツなどの栽培がさかんな愛媛県。
しまなみ海道で、本州の広島県とつながっています。

基本データ

県庁所在地	松山市
面積	約5676㎢
人口	約134万人
県の花	ミカン
県の鳥	コマドリ
県の木	マツ

都道府県クイズ Q80の答え 神奈川県

坊っちゃん列車が走る

交通

道路
松山自動車道、高松自動車道などで県内を移動できる。
しまなみ海道で、広島県と結ばれている。

鉄道
予讃線、内子線などのＪＲや、伊予鉄道の路線がある。

空路、海路
松山空港から、東京都、大阪府、福岡県、沖縄県などへ行くことができる。
県内の各港から、フェリーで岡山県、大阪府、大分県などへ行くことができる。

坊っちゃん列車
蒸気機関車型の坊っちゃん列車は、観光客に人気。

県庁所在地
松山市

キウイフルーツ

八幡浜市

宇和海

佐田岬

ミカン

タイ
養殖タイの生産、天然タイの漁獲量ともに、全国トップクラス。

都道府県クイズ Q81 消防署の数が一番多い都道府県は？

自然・環境

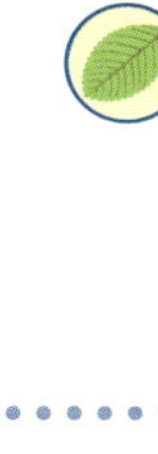

石鎚山

石鎚山は、標高が1982mあり、西日本で最も高い山です。古くから、山を神としてうやまう山岳信仰の修行の山として知られ、弘法大師・空海も修行したといわれています。自然の山なので、けわしいところが多く、登山道のとちゅうには、すい直のがけをくさりで登る場所もあります。頂上の天狗岳では、すばらしい景色が見られます。

けわしい登山道をくさりで登る

産業

ミカン

愛媛県では、かんきつ類の栽培がさかんです。ミカンも八幡浜市などを中心に各地で栽培されていて、生産量もトップクラスです。一年を通してあたたかく晴れが多い気候が合って、日がよく当たる山のしゃ面につくられただんだん畑で栽培されています。収穫のときは、しゃ面をモノレールに乗って作業をします。

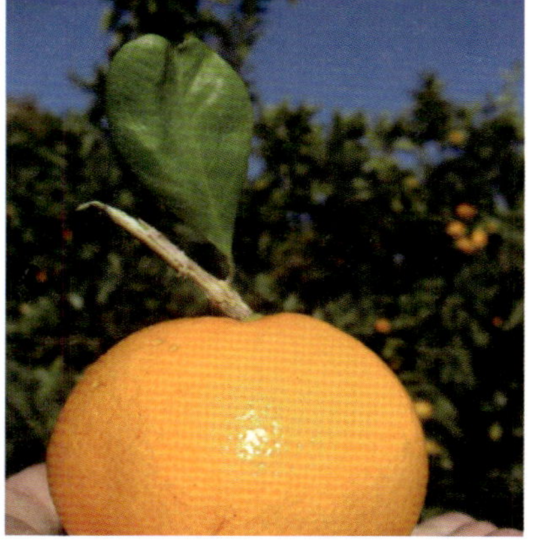

キウイフルーツ

愛媛県では、伊予市や松山市を中心にキウイフルーツの栽培がさかんで、生産量は日本一です。1980年くらいから、ミカンの消費がへってきたので、ミカン畑を利用してキウイフルーツがつくられるようになりました。

タオル

今治市は、タオルの一大産地です。平安時代から綿の栽培をしていましたが、明治時代になって、綿の素材をいかしたタオルをつくるようになり、生産がさかんになっていきました。その後、安い外国産が入ってきますが、品質などにこだわり、技術を高めたことで、今治タオルは高級ブランドとして人気を高めました。

今治にあるタオル美術館

歴史・伝統・文化

道後温泉

道後温泉は、最も古い温泉のひとつで、三千年の歴史があります。『日本書紀』などにも出てくる温泉で、大国主神や聖徳太子が温泉につかったといわれています。夏目漱石の小説『坊っちゃん』は松山市が舞台で、道後温泉も出てきたことで、全国的に有名になりました。明治時代につくられた道後温泉本館は国の重要文化財に指定されています。

砥部焼

砥部焼は、砥部町を中心につくられている陶磁器(焼き物)です。砥部町は、原料の土や燃料の赤松がたくさんとれたので、焼き物がさかんになりました。江戸時代に、藩の特産品だった伊予砥(砥石)のくずを使った陶磁器の開発をして、現在の砥部焼が生まれました。じょうぶで、白い地に藍色のもようが特徴です。

もっと知りたい!

天空の町

新居浜市には、標高750mの山の中に東平とよばれる銅山の跡地があるよ。別子銅山ではたらく人や家族が住んでいて、小学校や映画館などもあったんだって。１９７３年に閉山になって、その建物の一部が残されているんだけど、まるで天空の町のように見えるよね。

山の上に残る建物の跡

Q82 三重県にある日本一収容人数の多いサーキットの名前は？

高知県

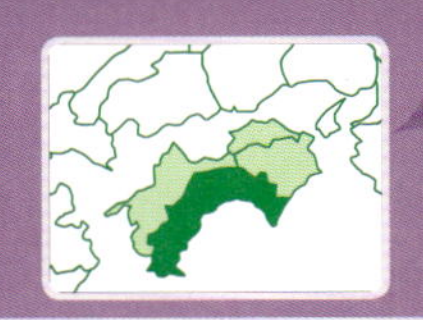

四国で一番長い四万十川が流れる高知県。沖合を暖流の黒潮が流れ、温暖な気候です。カツオなどの遠洋漁業がさかんです。

坂本龍馬
土佐藩出身の幕末の武士、坂本龍馬は高知のヒーロー。

ショウガ
大ぶりで繊維の少ない四万十生姜の生産がさかん。

よさこい祭り
鳴子という楽器を打ち鳴らしておどる祭り。

基本データ

県庁所在地	高知市
面積	約7104㎢
人口	約70万人
県の花	ヤマモモ
県の鳥	ヤイロチョウ
県の木	ヤナセスギ

よさこい祭り

交通

道路

高知自動車道などで県内を移動できる。

鉄道

土讃線、予土線などのＪＲや、土佐くろしお鉄道、とさでん交通などの路線がある。

空路、海路

高知空港から、東京都、大阪府、福岡県などへ行くことができる。
宿毛港から、フェリーで大分県へ行くことができる。

自然・環境

四万十川

四万十川は、全長196㎞で、四国の中で一番長い川です。ダムがつくられていないため、「日本最後の清流」と言われるほどきれいな川で、百種類以上の魚がすんでいます。また、四万十川にかかる橋は「沈下橋」とよばれ、大雨などで川が増水したときには、水の中にしずむようになっています。水中でものがぶつからないように手すりはありません。

四万十川にかかる沈下橋

産業

カツオ

土佐湾では、カツオ漁がさかんで、全国でも有数の漁獲量をほこります。カツオの一本釣りが有名で、えさでカツオのむれを集めて、つりざおで一尾ずつごうかいに釣りあげていきます。あみでとると、傷がついてしまうので、この方法をとっています。カツオは太平洋を北へ南へ動いていて、漁船はカツオを追っていっしょに移動して漁をします。カツオのたたきが郷土料理として有名です。

かつおのワラ焼き

ユズ

寒暖差のある山間部がユズの栽培に適していて、安芸市などを中心に栽培されています。収穫量は日本一で、全国に出荷されています。ユズのえだにはトゲがあるので、実がきずつかないように注意をしてつみとります。

ナス

安芸市は、日本一のナスの生産地です。ビニールハウスによるナスの栽培もさかんです。「竜馬」や米ナスなどいろいろな品種を栽培しています。

桂浜

高知市の浦戸半島の先たんにあって、ゆみの形に広がる美しい砂浜です。昔から月の名所としても知られていて、民謡のよさこい節でもうたわれています。桂浜には、幕末にかつやくした坂本龍馬の像があります。1928年に、募金で集めたお金で建てられました。台座をふくめると13.5mあります。

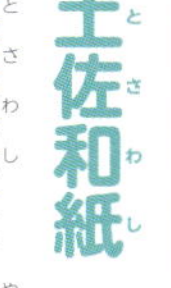

土佐和紙

土佐和紙は、約千年以上前の平安時代の書物に名前が出てくるので、そのころからつくられていたと考えられています。産地の土佐市やいの町には、和紙をつくるのに必要なきれいな川（仁淀川）の水や材料のこうぞの木が多くあり、良質な和紙がつくられています。多くの工程を手作業で行います。

もっと知りたい！

坂本龍馬

坂本龍馬は、幕末に新しい国をつくろうとした人だよ。龍馬の働きによって、さまざまな人にえいきょうをあたえて、幕府をたおすきっかけをつくったんだ。だれになんと言われようと自分の考えをつらぬくすがたはかっこいいよね。歴史上の人物の中でも人気が高いよ。

桂浜に立つ龍馬の像

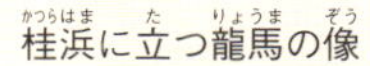

Q84 日本一神社の数が多い都道府県は？ （←答えは216ページ）

おさらいクイズ

シルエットクイズ

四国地方の4つの県のシルエットだよ！それぞれ、どこかわかるかな？

※シルエットは簡略化してあります。

四国地方のクイズにチャレンジ！3つの中から選んでね！

徳島県

うず潮で有名な徳島県と兵庫県の間にある海峡の名前は？

1. 明石海峡
2. 鳴門海峡
3. 津軽海峡

愛媛県

小説「坊っちゃん」にも登場した愛媛県の有名な温泉は？

1. 別府温泉
2. 草津温泉
3. 道後温泉

香川県

日本で初めてオリーブの栽培に成功した香川県の島は？

1. 淡路島
2. 佐渡島
3. 小豆島

高知県

高知のヒーローとよばれる土佐藩出身の幕末の武士はだれ？

1. 勝海舟
2. 坂本龍馬
3. 西郷隆盛

答えは、255ページにのっています。

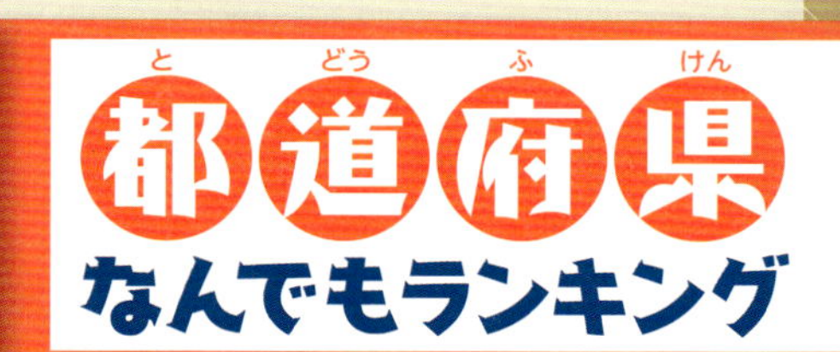

工業ランキング

製造業全体の出荷額

1位 愛知県（48兆7千億円）
2位 神奈川県（18兆4千億円）
3位 大阪府（17兆6千億円）

食料品製造業の出荷額

1位 北海道（2兆2千億円）
2位 埼玉県（2兆2百億円）
3位 愛知県（1兆7千億円）

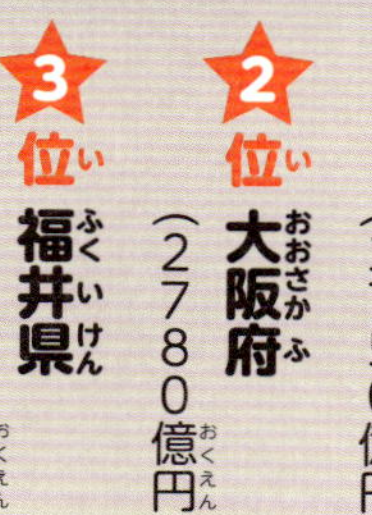

繊維工業の出荷額

1位 愛知県（3750億円）
2位 大阪府（2780億円）
3位 福井県（2420億円）

化学工業の出荷額

1位 千葉県（2兆3千億円）
2位 兵庫県（2兆2千億円）
3位 神奈川県（1兆9千億円）

※2019年度のデータを掲載しています。

商業ランキング

お店の数が多い

1位 東京都（6万7千店）
2位 大阪府（4万9千店）
3位 愛知県（4万店）

お店の販売額が多い

1位 東京都（14兆4千億円／年）
2位 大阪府（7兆9千億円／年）
3位 神奈川県（7兆円／年）

お店の数が少ない

1位 鳥取県（4400店）
2位 徳島県（6400店）
3位 山梨県（6500店）

お店の販売額が少ない

1位 鳥取県（5200億円／年）
2位 徳島県（5600億円／年）
3位 高知県（6200億円／年）

お店の数や販売額は、人口に関係していそうだね

※2012年度のデータを掲載しています。

壮大な自然、九州・沖縄地方！

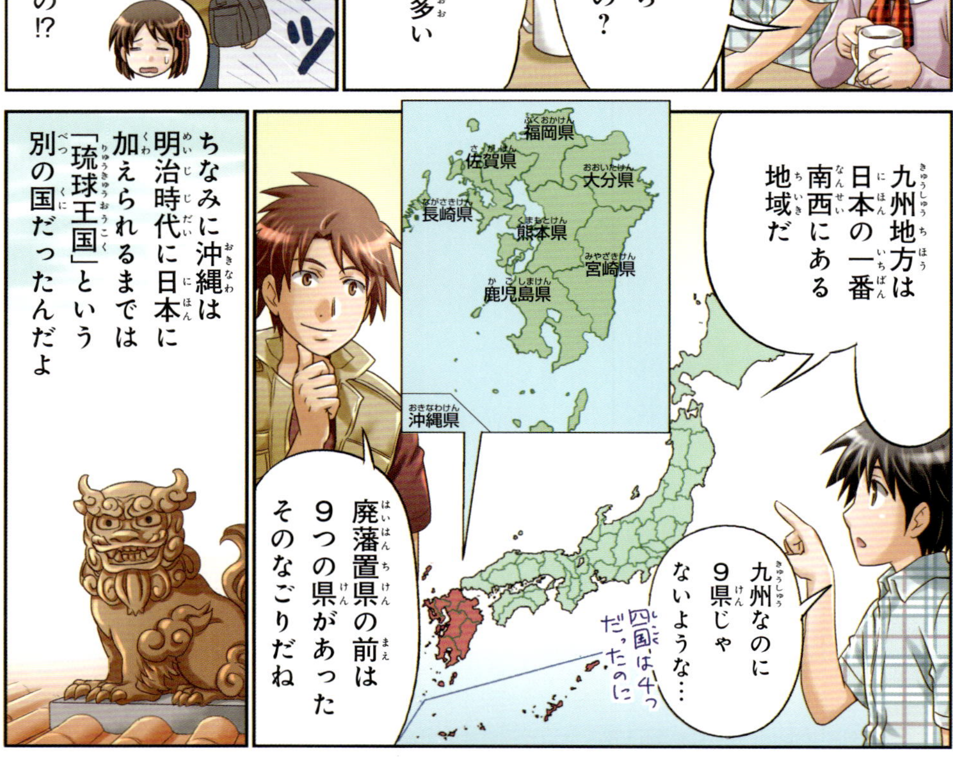

Q85 男性の平均寿命が一番長い都道府県は？

福岡県

九州の、政治・経済・文化の中心、福岡県。
中国大陸や朝鮮半島と近く、アジアの玄関口として古くから栄えました。

関門海峡

八幡製鉄所

明治時代に設立された八幡製鉄所を中心に、北九州工業地帯が発展。

カラシメンタイコ

スケトウダラの卵のトウガラシ漬け。福岡県を代表する郷土料理。

基本データ

県庁所在地	福岡市
面積	約4987㎢
人口	約510万人
県の花	ウメ
県の鳥	ウグイス
県の木	ツツジ

都道府県クイズ Q85の答え 滋賀県

メンタイコは何にでも合う!?

交通

道路

九州自動車道、東九州自動車道、大分自動車道などで県内を移動できる。

鉄道

新幹線で、東京都、大阪府、鹿児島県などと結ばれている。
鹿児島本線、久大本線、筑豊本線などのＪＲや、西日本鉄道、平成筑豊鉄道、地下鉄などの鉄道網が発達している。

空路、海路

福岡空港や北九州空港から、国内外の様々な都市へ行くことができる。
新門司港から、フェリーで東京都、大阪府、兵庫県などへ行くことができる。

Q86 日本一長いエスカレーターがある都道府県は？

自然・環境

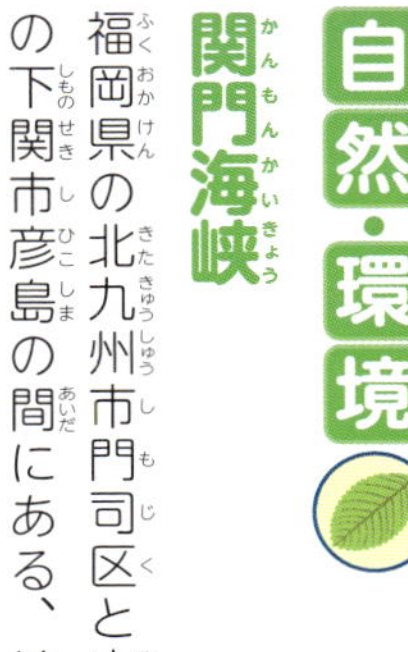

関門海峡

福岡県の北九州市門司区と山口県の下関市彦島の間にある、はばが約700mの海峡です。この海峡にかかるふたつの県を結ぶ関門トンネル(189ページ)が知られていますす。このほかに、海峡にかかる全長1068mのつり橋の関門橋も有名です。夏には日本でゆいいつ、県をこえ、門司区と下関市が協力し合って行う合同の花火大会があります。

関門橋

産業

イチゴ

福岡県は、物の消費の多い福岡市や北九州市があるので、都市部向けに作物をつくる近郊農業がさかんです。イチゴは、久留米市や広川町などで栽培されていて、イチゴの中でも、生産量は全国でもトップクラス。特に人気のあるあまおうは福岡でしかつくられていません。「あかい・まるい・おおきい・うまい」の頭文字をとって名前がつきました。

タケノコ

福岡県は、タケノコの生産量が日本一です。なかでも八女市は、トップクラスをほこります。八女市の土は、水分を多くふくむ赤土で、それがえぐみが少なく、みずみずしいタケノコが育つひけつといわれています。

たんす

大川市は、「大工のまち」や「家具のまち」とよばれています。室町時代に、船大工の技術を生かして家具をつくったのが始まりといわれています。くぎは使わずに、板やぼうをさし合わせてつくります。技術とデザイン性の高さで人気があります。

歴史・伝統・文化

太宰府天満宮

太宰府天満宮は、「学問の神様」といわれる菅原道真がまつられている神社です。平安時代、天皇につかえていた道真は、無実のつみで太宰府に飛ばされ、なくなります。その後、災害が続いたため、道真の無念の思いをしずめるために建てられました。道真が太宰府に来たときに、飛んできたとされる「飛梅」をはじめ、梅の名所としても有名です。

3月に行われる曲水の宴

伝統工芸

博多織

博多織は、高級な絹織物です。鎌倉時代に中国にわたった商人が、織物の技術を学び、帰国して独自の工夫をこらした織物をつくったのが始まりといわれています。仏教にゆかりのあるしまもようのがらに特徴があり、江戸時代には幕府に献上して(さしあげて)います。そのため「献上博多」ともよばれます。

もっと知りたい!

八幡製鉄所

八幡製鉄所は、1901年にできた鉄をつくるしせつだよ。近代化を進めていた明治時代に、鉄は欠かせないものだったんだ。製鉄所の機械を直す修繕工場は、今も動いているんだって。日本の近代化に役立ったということで、2015年に世界遺産に登録されたよ。

Q87 日本で初めて女性の知事が誕生した都道府県は?

佐賀県

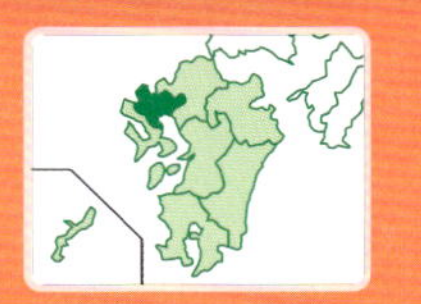

日本最大の干潟がある佐賀県。ノリの養殖場としても有名な有明海の干潟には、ムツゴロウなど特徴的な生き物がすんでいます。

交通

道路

長崎自動車道などで県内を移動できる。

鉄道

新幹線で、大阪府、広島県、鹿児島県などと結ばれている。長崎本線、佐世保線、唐津線などのＪＲや、松浦鉄道などの路線がある。

空路、海路

佐賀空港から、東京都、千葉県、海外などへ行くことができる。

唐津港から、フェリーで長崎県へ行くことができる。

呼子のイカはおいしいよ!!

呼子のイカ

玄界灘でとれる呼子のイカはおいしいと評判。

唐津くんち

唐津神社で行われる秋祭り。ちょうちんで飾られた曳山が町中をねりあるく。

伊万里・有田焼

タマネギ

白石町を中心に、タマネギの生産がさかん。

基本データ

県庁所在地	佐賀市
面積	約2441㎢
人口	約82万人
県の花	クスの花
県の鳥	カササギ
県の木	クス

都道府県クイズ Q88 日本で三番目に、面積が大きい都道府県は？

自然・環境

有明海

有明海は、福岡県、佐賀県、長崎県、熊本県に囲まれた浅い内海です。深いところで20mほどしかなく、潮の満ち引きによる差は最大で6mあります。海はどろの色をしていて、潮が引くと、日本で最大級の干潟になります。ムツゴロウなど、めずらしい生き物が多く、わたり鳥もたくさんやってきます。

有明海の夜明け

産業

ノリ

有明海では、干満差が大きいことを利用して、ノリの養殖がさかんで、生産量も日本一です。有明海の海の中は栄養がたっぷりなので、潮が満ちているときに、海に柱を立ててノリのあみをはり、海中で栄養を吸収させます。潮が引いて海の上に出ると、太陽の光をあびてうま味をとじこめます。ここでしかできない方法で、口どけのいいあまみのあるノリをつくっています。

ムツゴロウ

有明海のムツゴロウは干潟のあなにいて、干潮のときに出てくる魚です。ムツゴロウはむつかけという漁でとります。どろで足が取られないよう、潟スキーという板にひざをついて乗り、干潟で飛びはねるムツゴロウめがけてつり糸を投げ、はりにひっかけてつります。

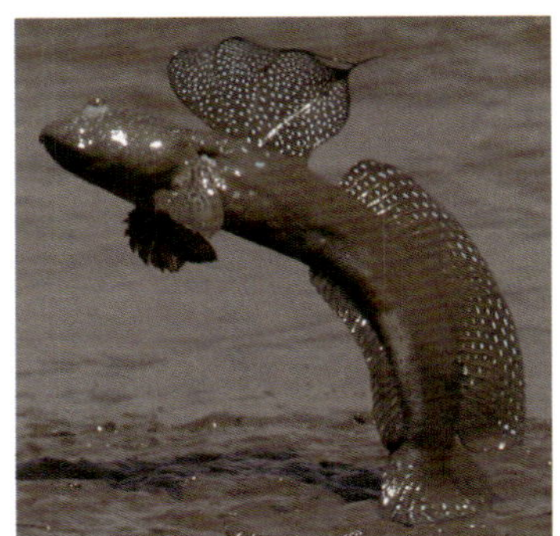
ジャンプするムツゴロウ

歴史・伝統・文化

吉野ヶ里遺跡

吉野ヶ里町と神埼市にまたがる吉野ヶ里遺跡は、弥生時代にあった集落の跡で、日本最大級の遺跡です。たくさんの住居や倉庫の跡、使っていた道具などが見つかっていて、約700年間続いた弥生時代のくらしがどのように変化していったのか知る手がかりになります。当時の竪穴式住居や高床式倉庫などが復元されていて見ることができます。

伝統工芸

伊万里・有田焼

伊万里・有田焼は、伊万里市や有田町でつくられている磁器です。豊臣秀吉が朝鮮からつれてきた職人が、有田で陶石を使って焼いたのが磁器の始まりと言われています。焼かれた有田焼は伊万里の港から運ばれていたので、伊万里焼ともよばれました。赤や金のもようがあざやかな磁器です。現在は、伊万里市で焼いたものを伊万里焼、有田町で焼いたものを有田焼と区別しています。

はなやかな焼き物だね

もっと知りたい!

佐賀平野のクリーク

佐賀平野には、クリークとよばれるたくさんの水路があるよ。水不足をおぎなうために人工でつくったもので、農業をささえていたんだ。その役目はうすれているけど、川が増水したときに水をためるはたらきもあるから、水害をふせぐ役割として最近見直されているよ。

都道府県クイズ Q89 岐阜県にある日本一面積が大きい市は、何市？

長崎県

たくさんの島からなる長崎県。島の数は日本一で、海岸線が北海道の次に長い県です。古くから外国との交易の窓口として発展しました。

ちゃんぽんの本当の意味は!?

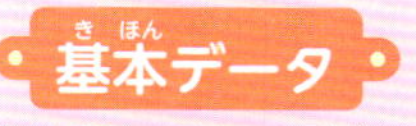

県庁所在地	長崎市
面積	約4131㎢
人口	約133万人
県の花	ウンゼンツツジ
県の鳥	オシドリ
県の木	ヒノキ、ツバキ

自然・環境

対馬

対馬は、対馬海峡にうかぶ島です。朝鮮半島が近いので、古くから交流がさかんでした。島のほとんどが山地で、原生林が多く残されています。日本神話の海幸山幸にゆかりのある神社など、たくさんの神社がありま す。ツシマヤマネコやツシマテン、ツシマアカガエル、ツシマナメクジなど、この島でしか見られないめずらしい生き物がたくさんいます。

ツシマヤマネコ

産業

ビワ

長崎市では、あたたかい気候が寒さに弱いビワの栽培に合っていて、ダントツの生産量をほこります。江戸時代に中国からもらった種をまいたのが始まりといわれています。海の見えるだんだん畑で、太陽をたっぷりあびながら育てられます。

造船

幕末、長崎港に西洋の大型船の入港がふえて、船の修理をする工場がつくられ、それが明治時代に造船所となりました。入り江が多いことも大型船づくりに適していて、造船業が発展してきました。客船や漁船、タンカーなどがつくられています。

南蛮船来航の地

アジ

長崎県は、日本列島と朝鮮半島の間を南からあたたかい海流（対馬海流）が流れていて、魚のえさとなるプランクトンが豊富です。多くの魚が集まってくる玄界灘は、日本でも有数の漁場で、なかでもアジ類の漁獲量は日本一です。タイやサバの仲間もたくさんとれます。

都道府県クイズ　Q90の答え　埼玉県。越谷市にあるイオンレイクタウンが日本一広い。

出島

出島は、長崎湾にあった人工の島で、鎖国をしていた江戸時代の約200年間、ゆいいつ西洋と貿易が行われていました。明治時代に役割を終えて、うめたてられました。現在は、出島の歴史を伝えるために、住居や蔵など町の復元が進められています。

平和祈念像

平和公園は、第二次世界大戦で原子爆弾が落とされた場所の近くにあります。公園内にある平和祈念像は、世界平和の願いをこめてつくられました。

波佐見焼

波佐見焼は、波佐見町でつくられている磁器です。豊臣秀吉が朝鮮半島からつれてきた職人が始めたといわれていて、約400年の歴史があります。磁器は高級品のイメージがありましたが、日常用食器として大量生産したことで、庶民から人気が出ました。型づくり、生地づくり、焼きなど、作業を分業する独特なつくり方をしています。

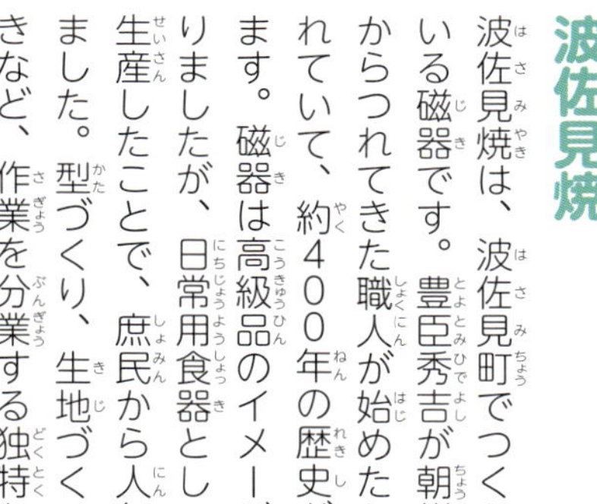

もっと知りたい！

端島（軍艦島）

軍艦島の正式名は端島。海底の石炭をとる炭鉱で栄えた島だよ。その見た目から軍艦島とよばれていたよ。せまい島に5000人以上が住んでいて、たくさんの施設もあったんだって。閉山して今は無人島になっているけど、2015年に世界文化遺産に登録されたよ。行ってみたいね。

熊本県

巨大なカルデラのある活火山、阿蘇山が有名な「火の国」熊本県。
農業がさかんで、スイカやトマトの収穫量は日本一です。

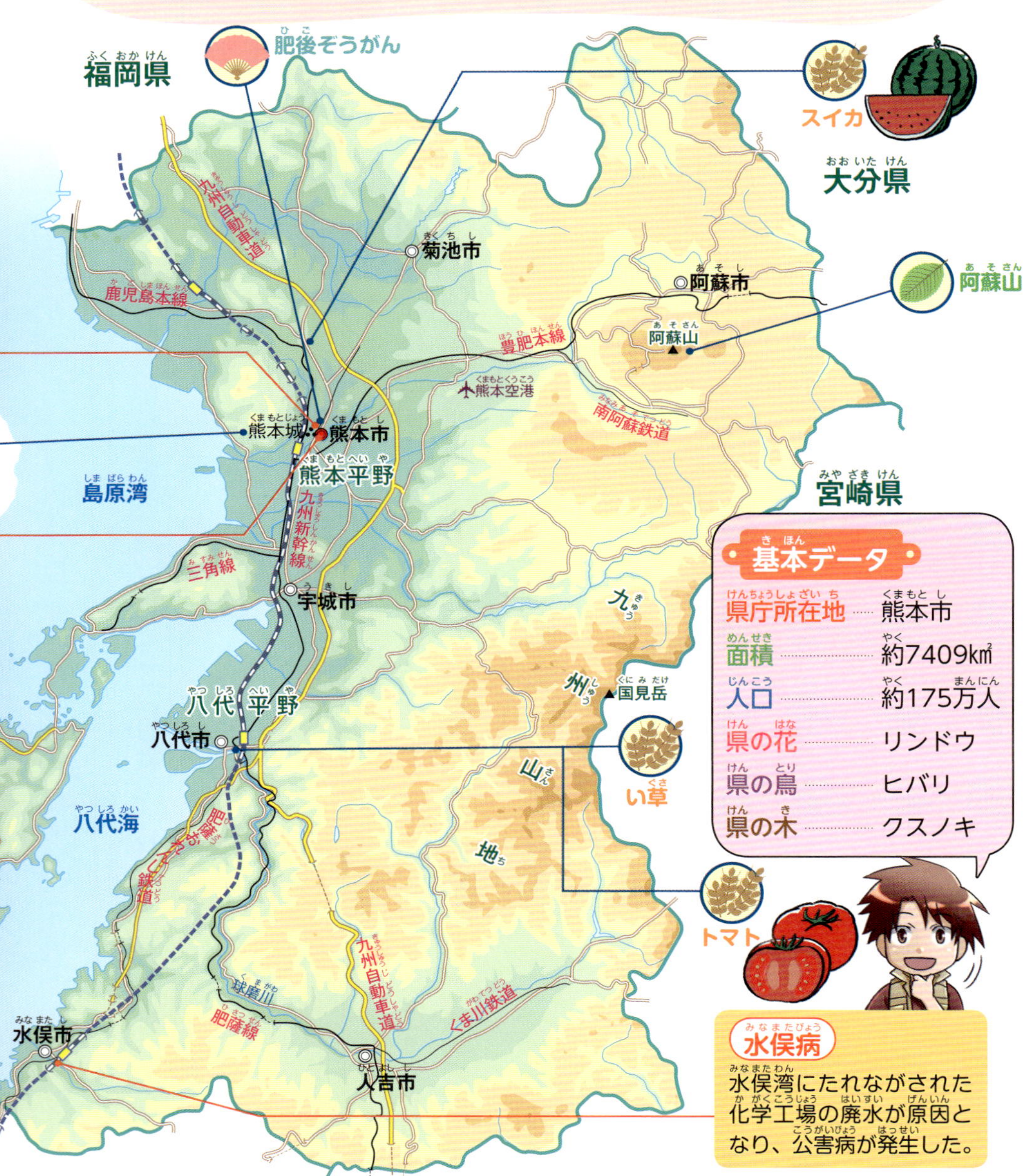

基本データ

県庁所在地	熊本市
面積	約7409㎢
人口	約175万人
県の花	リンドウ
県の鳥	ヒバリ
県の木	クスノキ

水俣病

水俣湾にたれながされた化学工場の廃水が原因となり、公害病が発生した。

カラシレンコンは健康食品!?

交通

道路

九州自動車道で県の南北を移動できる。

鉄道

新幹線で、大阪府、広島県、鹿児島県などと結ばれている。

鹿児島本線、豊肥本線などのＪＲや、市電や熊本電気鉄道、肥薩おれんじ鉄道などの路線がある。

空路、海路

熊本空港や天草空港から、東京都、大阪府、沖縄県などへ行くことができる。

熊本港からフェリーで長崎県へ行くことができる。

有明海

カラシレンコン

レンコンの穴にカラシみそをつめこんだ郷土料理。

熊本城

長崎県

県庁所在地

熊本市

天草空港

天草市

天草灘

天草諸島

天草諸島

キリスト教徒による島原の乱の舞台となった。

鹿児島県

Q92 道路で日本一長いトンネルがある都道府県は？

自然・環境

阿蘇山

「火の国」といわれる熊本県の象徴でもある阿蘇山は、中岳、烏帽子岳などの火山群の総称で、世界最大級のカルデラを持ちます。カルデラは、火山活動でできたくぼ地のことです。カルデラの中では、約5万人の人がくらしています。火山活動のえいきょうで、阿蘇山の周辺には温泉が多くあり、毎年たくさんの観光客がおとずれます。

産業

スイカ

熊本県は、日本有数の野菜の産地で、特に熊本市植木町は日本一のスイカの産地です。一般的なスイカは、あまいもので糖度が12度ほどですが、植木町のスイカは、糖度が13度前後と高くなっています。寒暖差があるとあまくなります。植木町は比較的寒暖差のある地域ですが、ビニール栽培でさらに温度差をつくりだしています。

あまくなるように工夫しているのね!

い草

八代市を中心に、たたみの表面にはるい草の栽培がさかんで、生産量は日本一です。江戸時代に、この地域の城主がい草の栽培をすすめたことが始まりです。い草は、稲作のように、田んぼになえを植えて栽培します。

トマト

八代市ではトマトの栽培もさかんで、生産量は日本一です。八代は海が近く、土に塩がふくまれています。すると、トマトの水分吸収がおさえられて、あまり大きくならずに、あまみが強いトマトができるのです。

歴史・伝統・文化

熊本城

熊本城は、安土桃山時代に豊臣秀吉の家臣、加藤清正が7年かけて建てた城で、日本三名城のひとつともいわれています。清正が植えたイチョウの木があり、銀杏城ともよばれます。「武者返し」といわれる、武士や忍者がのぼれずにひっくり返るほどの急な石垣が特徴です。2016年の熊本地震で大きな被害が出ましたが、現在修復作業が進められています。

伝統工芸

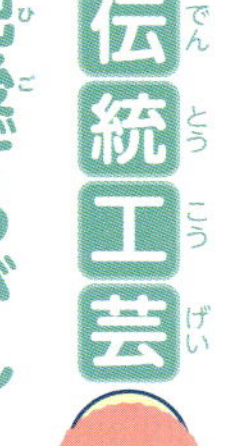

肥後ぞうがん

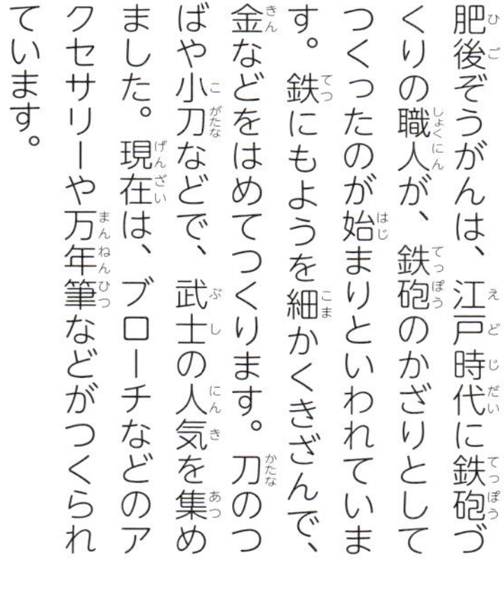

肥後ぞうがんは、江戸時代に鉄砲づくりの職人が、鉄砲のかざりとしてつくったのが始まりといわれています。鉄にもようを細かくきざんで、金などをはめてつくります。刀のつばや小刀などで、武士の人気を集めました。現在は、ブローチなどのアクセサリーや万年筆などがつくられています。

もっと知りたい！

水俣病

水俣病は公害病のひとつだよ。昔、水俣市にあった化学工場が有害な有機水銀を水俣湾に流していたんだ。それに汚染された魚を食べた人たちが、手足がしびれるなどの病気になって、なくなった人も多かったよ。現在もまだ病気に苦しんでいる人がいるんだよ。

夕陽にそまる水俣湾

大分県

山地が多く、温泉が豊富な大分県。源泉の数もわき出るお湯の量も日本一で、別府や由布院など有名な温泉地があります。

温泉でポカポカほっこり!?

交通

道路
大分自動車道、東九州自動車道などで県内を移動できる。

鉄道
日豊本線、久大本線、豊肥本線などのＪＲや、ロープウェイの路線などがある。

空路、海路
大分空港から、東京都、大阪府などへ行くことができる。
県内の各港から、フェリーで大阪府や山口県などへ行くことができる。

豊後牛
豊後国(昔の大分地方のよび方)から名づけられた、黒毛和牛の飼育がさかん。

地熱発電所
八丁原発電所は、日本で一番発電量が多い地熱発電所。

基本データ

県庁所在地	大分市
面積	約6341㎢
人口	約114万人
県の花	ブンゴウメ
県の鳥	メジロ
県の木	ブンゴウメ

 都道府県クイズ Q94 日本一大きいドームがある都道府県は?

自然・環境

別府温泉

大分県は、たくさんの火山があるため、源泉の数が日本一。日本でも有数の温泉地です。別府温泉は、別府市内にある数百の温泉の総称です。温泉の種類も豊富で、十種類の温泉に入ることができます。鉄をふくんで赤くなった「血の池地獄」など、温泉の色から地獄の名前をつけた、八つの源泉をめぐる「地獄めぐり」が人気です。

血の池地獄

産業

干しシイタケ

大分県は、全国の干しシイタケの生産量の約半分をしめる日本一の生産地で、国東半島などを中心に、江戸時代からつくられています。品質が高く、毎年行われている全国乾椎茸品評会では、53回連続の団体優勝をしていて、天皇家にも献上しています。生産が多いため、干しシイタケを食べる人も多いです。

カボス

大分県では、市町村でひとつ、じまんできる品をつくろうという「一村一品運動」をうたい、カボスを特産品として有名にしました。今では、全国のカボスの9割以上が大分県でつくられています。

関サバ

豊予海峡は、栄養豊富な海で、漁業がさかんです。大分のブランドである「関サバ」は、一尾ずつ一本釣りでとるのが特徴です。この方法だと傷がつかず、魚にストレスをあたえないため、味や鮮度に差が出ます。同じく一本釣りでとる「関アジ」も有名です。

歴史・伝統・文化

磨崖仏（臼杵石仏）

磨崖仏（臼杵石仏）は、岩壁などにほられた仏像で、臼杵市に六十体あまり見られます。平安時代後期から鎌倉時代にかけてほられたものと考えられていて、伝説によると、子どもをなくした長者が、供養のためにほらせたといわれています。六十一体が、磨崖仏として日本で初めて国宝に指定されています。

自然の岩壁にほられているよ

別府竹細工

別府市では、竹の生産がさかんだったことから、竹細工が発展しました。室町時代に、行商に行く人が背負うかごを販売したのが始まりといわれています。江戸時代には、別府温泉に滞在するお客さんが台所で使うかごなどがつくられました。編み方として八つの技法があって、その組み合わせによって、二百種類の編み方ができます。

もっと知りたい！

八丁原発電所

八丁原発電所は、火山のマグマで熱せられた地下水の水蒸気を使って電気をつくる場所だよ。温泉の多い大分県は、熱のエネルギーが多いから、地熱発電でできる電気量が日本一なんだよ。危険がなく、安定して発電できるエネルギーとして、注目されているんだ。

発電所を見学することもできる

Q95 プロサッカークラブ、エスパルスの本拠地はどこの都道府県？

宮崎県

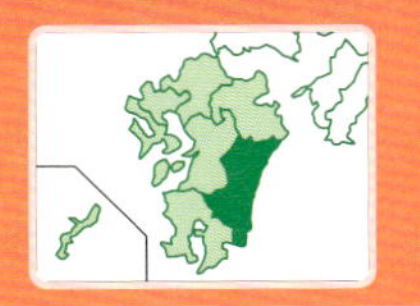

高千穂伝説など、神話の里として知られる宮崎県。一年中温暖な気候で、マンゴーなどの果物づくりや野菜の早づくりがさかんです。

宮崎に降臨した日本の生みの親！？

交通

道路
東九州自動車道、宮崎自動車道、九州自動車道などで県内を移動できる。

鉄道
日豊本線、日南線、吉都線などのＪＲの路線がある。

空路、海路
宮崎空港から、東京都、大阪府、沖縄県などへ行くことができる。
宮崎港から、フェリーで兵庫県へ行くことができる。

基本データ

県庁所在地	宮崎市
面積	約7735㎢
人口	約107万人
県の花	ハマユウ
県の鳥	コシジロヤマドリ
県の木	フェニックス ヤマザクラ オビスギ

鹿児島県

都城大弓

Q96 茨城県にある日本一背が高い仏像の名前は？

自然・環境

日南海岸

日南海岸は太平洋に面した120㎞にわたって岩が続く海岸です。あたたかいので、ヤシなどの亜熱帯植物が多く見られます。海岸ぞいには、板のような岩が積み重なっている「鬼のせんたく板」に囲まれた青島や、モアイ像のあるサンメッセ日南、洞くつに神殿がある鵜戸神宮など、名所がたくさんあります。毎年、多くの観光客がおとずれています。

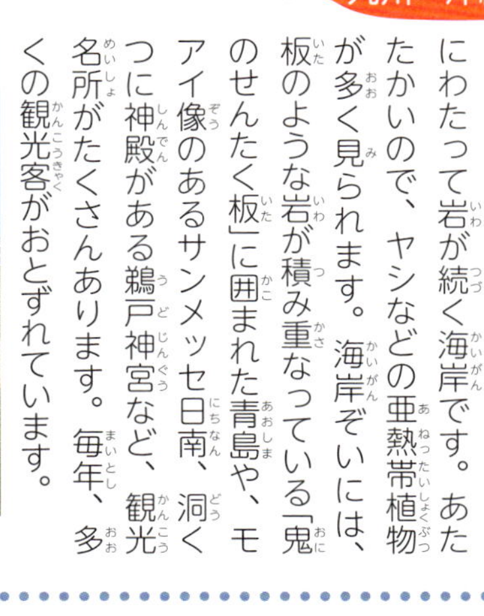
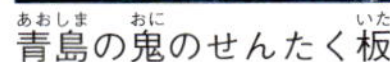
青島の鬼のせんたく板

産業

キュウリ

宮崎平野では、米を収穫した後の畑（うら作）で野菜の栽培が行われていましたが、しだいに野菜の栽培が中心になりました。促成栽培といって、ビニールハウスや温室で栽培することで、通常の旬の時期よりも出荷を早めることができます。野菜のなかでもキュウリの生産量は日本一をほこります。

マンゴー

宮崎平野では、あたたかい気候をいかして、日向夏などのかんきつ類や、マンゴーの栽培がさかんです。マンゴーのなかでも、宮崎ブランドの「太陽のタマゴ」は、あまさが高く人気です。きびしい基準をクリアしたものだけに、「太陽のタマゴ」の名前がつきます。

肉用若鳥

宮崎県は、肉用若鶏（ブロイラー）の飼育がさかんで全国トップクラスです。ブロイラーは短い期間（50～60日ほど）で成長して出荷できる若鶏のことです。ほかにも、肉用牛や豚などの飼育もさかんに行われています。

歴史・伝統・文化

高千穂峡（高千穂）

高千穂は、日本神話にゆかりのある町として有名です。弟の乱暴に悲しんだ天照大神がかくれた大岩をまつる天岩戸神社など、神話にまつわる場所がたくさんあります。高千穂峡は、阿蘇山の噴火で流れてきた溶岩流がかたまってできた美しい渓谷です。天からおりてきた天照大神の孫の神様が水の種を天から移すよう命じたとされる真名井の滝が知られています。

天岩戸神社

伝統工芸

都城大弓

都城市は、竹を使った弓や木刀づくりがさかんで、全国の9割をここでつくっています。江戸時代、この地域は薩摩藩の領地でした。薩摩藩では武道に力を入れていたため、武道の道具づくりが発展したのです。明治時代には、弓づくりの職人が養成されました。弓の産地ということで、弓道の全国大会が都城市で行われています。

もっと知りたい！

西都原古墳群

西都原古墳群は、300以上も古墳がある、日本でも最大級の古墳群で、３世紀末から7世紀にかけてつくられたと考えられているよ。まだ、ほとんどの古墳は発掘されていなくて、当時のすがたが残されているんだ。なぞだらけで、ドキドキしちゃうね。

Q97 大阪府で一番多い名字は？

鹿児島県

九州で一番大きい(面積)鹿児島県。活火山の桜島がシンボルです。畜産や農業がさかんで、サツマイモの生産量は日本一です。

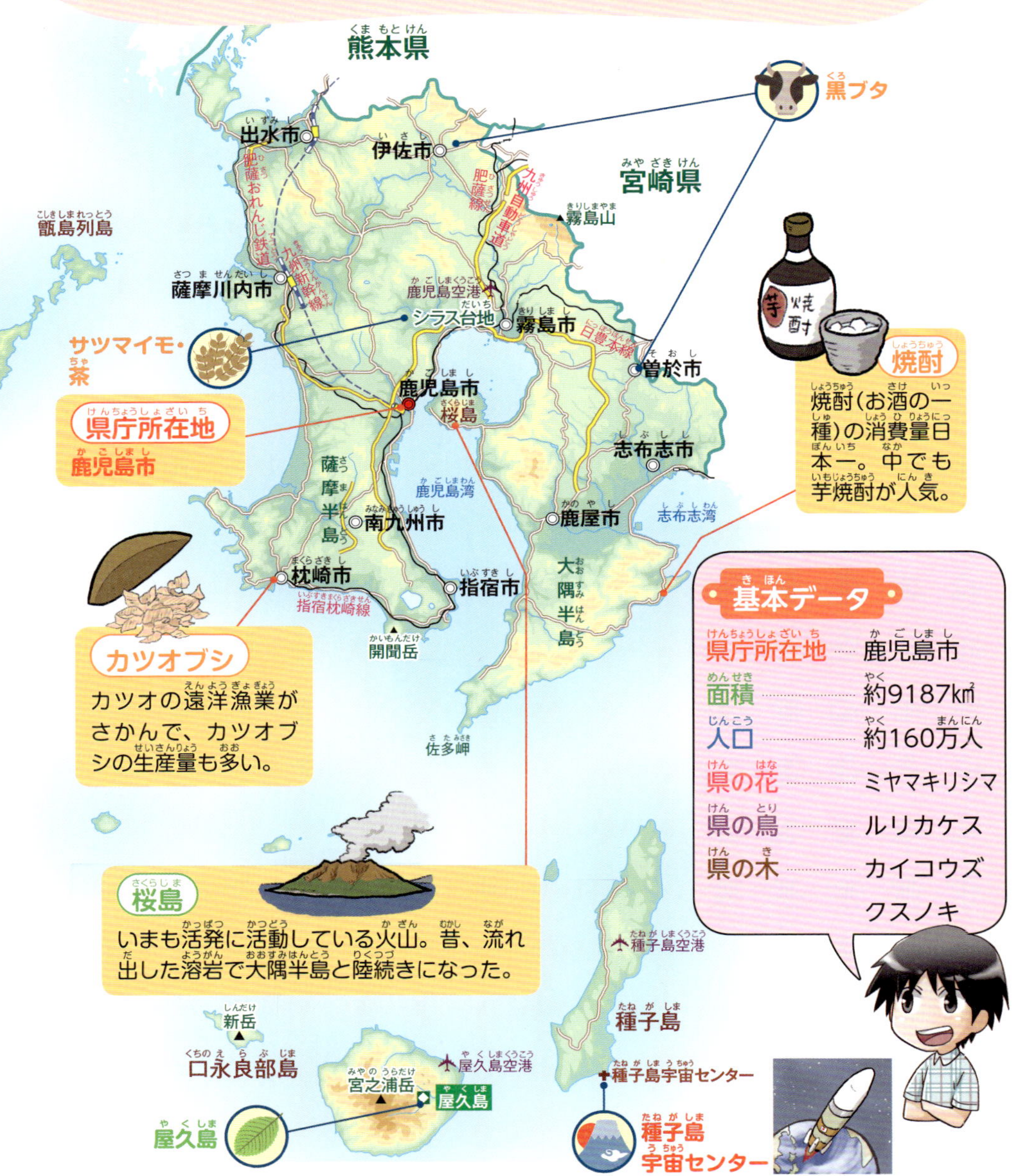

焼酎

焼酎(お酒の一種)の消費量日本一。中でも芋焼酎が人気。

カツオブシ

カツオの遠洋漁業がさかんで、カツオブシの生産量も多い。

桜島

いまも活発に活動している火山。昔、流れ出した溶岩で大隅半島と陸続きになった。

基本データ

県庁所在地	鹿児島市
面積	約9187km²
人口	約160万人
県の花	ミヤマキリシマ
県の鳥	ルリカケス
県の木	カイコウズ クスノキ

都道府県クイズ Q97の答え 田中さん

鹿児島の日常茶飯事!?

交通

道路
九州自動車道、南九州西回り自動車道などで県内を移動できる。

鉄道
新幹線で、大阪府、広島県、福岡県などと結ばれている。
鹿児島本線、日豊本線などのＪＲや、肥薩おれんじ鉄道などの路線がある。

空路、海路
鹿児島空港や奄美空港などから、東京都、大阪府、福岡県などへ行くことができる。
鹿児島港と、種子島、屋久島、奄美大島などは、フェリーで結ばれている。

自然・環境

屋久島

屋久島は円形の島で、年間降水量が多いため、たくさんの植物が自生しています。めずらしい野生動物や海の生き物も多く見られます。有名なのが「屋久杉」で、樹齢が1000年をこえる杉をこうよびます。なかには、2000年をこえる巨大杉もあり、最大級のものは「縄文杉」といわれます。1993年に、世界自然遺産に登録されています。

縄文杉

産業

サツマイモ

鹿児島県に広がるシラス台地では、サツマイモの栽培がさかんで、生産量も日本一です。シラス台地は、火山の噴火で出た火山灰などが積もってできた台地で、養分が少なく水がたまりにくいため、乾燥した土地での栽培に適したサツマイモがつくられるようになりました。鹿児島県は、昔は薩摩といわれていて、薩摩でつくられたイモということで、サツマイモの名前がつきました。

茶

鹿児島県は、日本でも有数のお茶の産地です。お茶も乾燥に強く、シラス台地での栽培に合って、多くつくられてきました。主に志布志市や南九州市で栽培されています。なお、シラス台地は開発によって水の設備が整えられ、今ではほかの作物も栽培されています。

黒ブタ

伊佐市や曽於市を中心に、黒ブタの飼育がさかんで、ブタの飼育数は日本一です。黒ブタは、中国から琉球（沖縄）に伝わり、それが江戸時代に薩摩（鹿児島）に入ってきたといわれています。

歴史・伝統・文化

種子島宇宙センター

種子島宇宙センターは、宇宙航空研究開発機構（JAXA）が種子島に設置した日本最大のロケットの打ち上げ施設です。組み立てや整備、点検、発射後の追跡なども行います。発射台は、サンゴ礁や緑の山に囲まれた場所にあり、「世界一美しいロケット基地」といわれています。ロケットは、年に一、二回発射されています。

伝統工芸

大島つむぎ

大島つむぎは、奄美大島でつくられている高級絹織物です。約1300年前の奈良時代の文献に出てきていて、フランスのゴブラン織、ペルシャ絨毯と並んで、世界三大織物のひとつにも数えられています。奄美大島だけで行われている「どろ染め」という方法をくり返すと、どろの成分で、糸がしぶい黒色に染まります。約30の細かい工程があり、完成までに半年から一年かかります。

もっと知りたい！

西郷隆盛

西郷隆盛は、幕末に江戸幕府をたおして新しい時代をきずいた中心人物だよ。新政府ができたあと、政府の考えに反発して、いっしょにたたかった大久保利通とも対立してしまうんだ。西南戦争を起こすけど、負けて自害したんだ。その人柄で、今でも多くの人からしたわれているよ。

東京の上野公園にも銅像があるよ！

都道府県クイズ Q99 日本一長いジェットコースターがある遊園地、ナガシマスパーランドがある都道府県は？

沖縄県

かつて琉球王国として栄えた沖縄県。美しい海に囲まれ、160もの島があります。亜熱帯の風土を生かした観光業がさかんです。

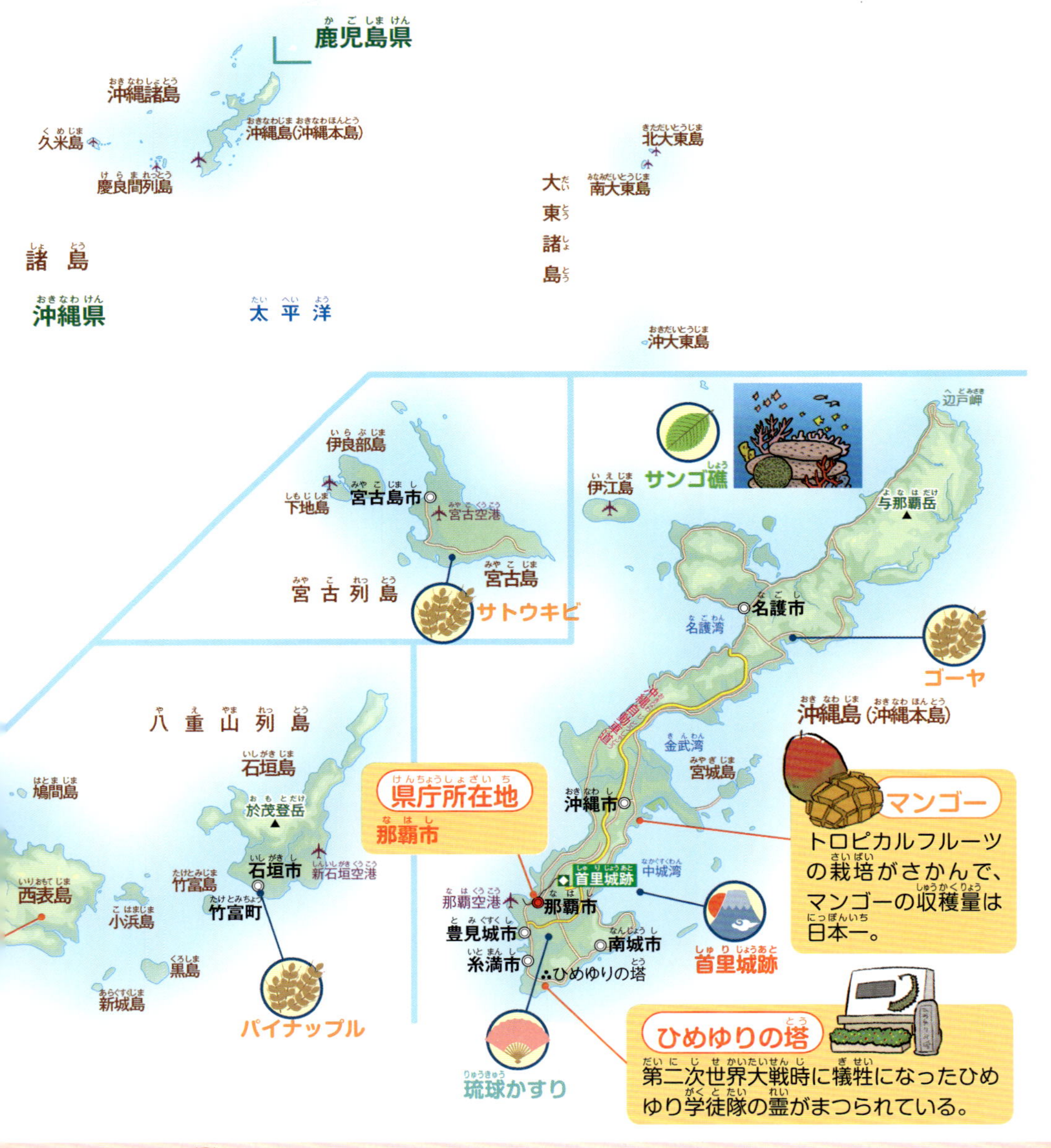

シーサーは今日も家を守る！

基本データ

- 県庁所在地……那覇市
- 面積……約2281㎢
- 人口……約145万人
- 県の花……デイゴ
- 県の鳥……ノグチゲラ
- 県の木……リュウキュウマツ

東シナ海
尖閣諸島
琉球
先島諸島
宮古島
与那国島
西表島
多良間島
石垣島
波照間島

交通

道路
沖縄自動車道、那覇空港自動車道などで県内を移動できる。

鉄道
沖縄都市モノレール線の路線がある。

空路、海路
県内にたくさんの空港があり、那覇空港などから、国内外の様々な都市へ行くことができる。
那覇港から、フェリーで鹿児島県などへ行くことができる。島間の移動のため、船が広く使われている。

イリオモテヤマネコ
西表島にすむ特別天然記念物。

都道府県クイズ Q100 プロサッカークラブ、ヴォルティスの本拠地はどこの都道府県？

自然・環境

サンゴ礁

沖縄県の海には、サンゴ礁が広がっています。サンゴはクラゲなどの仲間で、体の下に石のような骨を持っていて、これが積み重なってできたのがサンゴ礁です。サンゴ礁は、そこにすむ生き物のかくれ家や卵を産む場所になるため、「海のオアシス」「海のゆりかご」ともいわれます。きれいな熱帯魚なども多くいて、ダイビングスポットとして人気です。

産業

サトウキビ

沖縄県では、一年中あたたかい気候を生かして、宮古島などを中心にサトウキビの栽培がさかんです。サトウキビは自然災害にも強いので、台風が多い沖縄県にはもってこいの作物です。サトウキビは、さとうや黒ざとうの原料になります。また、石油にかわる燃料としても活用されています。

ゴーヤ

沖縄県では、夏野菜の栽培もさかんで、沖縄県を代表する野菜のゴーヤは生産量が日本一です。ニガウリともいわれ、名前の通り苦みがあるのが特徴です。ゴーヤを、とうふや卵などといためるゴーヤチャンプルという料理が有名です。「チャンプル」は「ごちゃまぜ」という意味です。

ゴーヤチャンプル

パイナップル

パイナップル栽培は、19世紀に沈没したオランダ船が積んでいたパイナップルが石垣島に流れ着いたことから始まったといわれています。あたたかい気候や赤土がパイナップルの栽培に合っていて、石垣島を中心に栽培がさかんになりました。

歴史・伝統・文化

首里城跡

沖縄県は、1429年から約450年の間、琉球王国という独立した国で、明治時代の初めに日本の一部となりました。首里城は琉球王国の王が住んでいた城(沖縄の言葉で「グスク」)で、第二次世界大戦で焼失します。1992年に復元され、2000年に世界文化遺産に登録されました。二千円札の表には、首里城の守礼門がえがかれています。

伝統工芸

琉球かすり

かすりは、かすれたようなもようを出す織物の技法です。琉球かすりは、約600種という図柄の多さに特徴があります。かすりは東南アジアで発展して、14~15世紀に沖縄に伝わりました。沖縄で琉球かすりがさかんになり、それが本州に伝わって、各地でつくられるようになったといわれています。現在は、主に南風原町でつくられています。

もっと知りたい!

貴重な生き物

人の手が入っていない自然も多い沖縄県は、陸にも海にも空にも生き物がいっぱいいるよ。やんばるといわれる森にいるヤンバルクイナや、西表島にいるイリオモテヤマネコなど、ここでしか見られない貴重な生き物が多いんだよ。大事に守っていきたいよね。

ヤンバルクイナ

おさらいクイズ

シルエットクイズ

九州・沖縄地方の8つの県のシルエットだよ！それぞれ、どこかわかるかな？

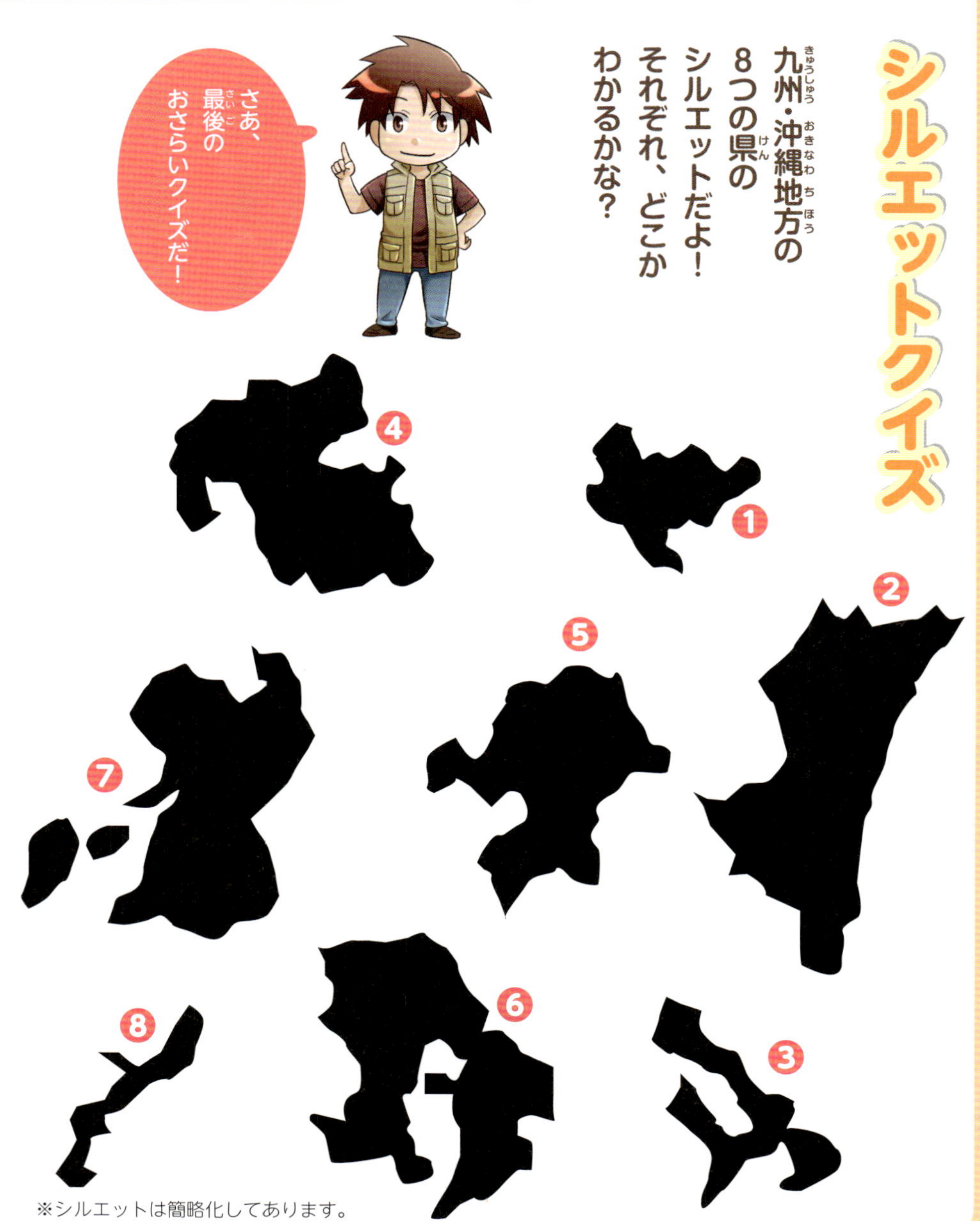

※シルエットは簡略化してあります。

いろいろクイズ

九州・沖縄地方のクイズにチャレンジ！3つの中から選んでね！

福岡県

「学問の神様」菅原道真がまつられている神社の名前は？

1. 太宰府天満宮
2. 石清水八幡宮
3. 日光東照宮

宮崎県

「太陽のタマゴ」などの品種が人気の、宮崎県名産のくだものは何？

1. マンゴー
2. パパイヤ
3. パイナップル

大分県

八丁原発電所は、何の力で発電している？

1. 風力
2. 地熱
3. 水力

佐賀県

有明海で養殖されている生産量日本一のものは？

1. 真珠
2. ノリ
3. カキ

鹿児島県

奄美大島で1300年前からつくられている伝統工芸品は何？

1. 筆
2. つむぎ
3. 和紙

熊本県

世界最大級のカルデラを持つ熊本県にある火山は？

1. 桜島
2. 阿蘇山
3. 浅間山

長崎県

鎖国時代に、外国との貿易の窓口になった人口の島は？

1. 端島
2. 宮島
3. 出島

沖縄県

琉球王国の王が住んでいた城の名前は？

1. 首里城
2. 竹田城
3. 延岡城

答えは、255ページにのっています。

ゆめは、日本一周！

はー！
なんか家にいながらにして日本一周した気分！
楽しかったねー！
一口に日本って言っても、いろいろなところがあるんだな

特に日本は東西にも南北にも長い国だからね
うん！北海道の流氷と沖縄のサンゴ礁が同じ国にあるなんて
日本って本当におもしろい国ね！
ケン兄が旅行好きなのなんだか分かった気がする

わたしも大きくなったら日本中を旅したい！
ぼくもぼくもぼくも！
わー
二人で旅行か、いいんじゃない？
まー、ぼくがいないとゆいはどっかで食いだおれていそうだしな
お兄ちゃんこそ方向おんちだからひとりじゃ心配！
もっともっと日本中のみりょくを
発見していこう！

おさらいクイズ

こたえ

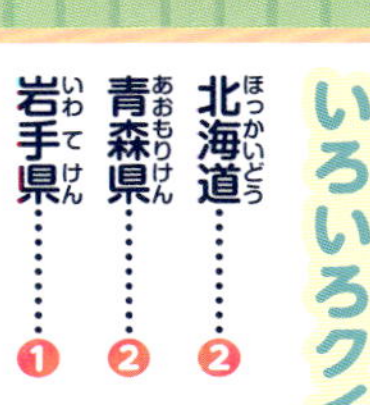

北海道・東北地方

（54〜55ページ）

シルエットクイズ

①…北海道
②…宮城県
③…山形県
④…岩手県
⑤…福島県
⑥…秋田県
⑦…青森県

いろいろクイズ

北海道…②
青森県…②
岩手県…①
宮城県…③
秋田県…①
山形県…②
福島県…③

関東地方

（88〜89ページ）

シルエットクイズ

①…埼玉県
②…千葉県
③…東京都
④…神奈川県
⑤…栃木県
⑥…茨城県
⑦…群馬県

いろいろクイズ

茨城県…①
栃木県…③
群馬県…②
埼玉県…③
千葉県…①
東京都…①
神奈川県…②

中部地方

（130〜131ページ）

シルエットクイズ

①…富山県
②…山梨県
③…岐阜県
④…愛知県
⑤…新潟県
⑥…石川県
⑦…福井県
⑧…長野県
⑨…静岡県

いろいろクイズ

新潟県…③
富山県…②
石川県…①
福井県…③
山梨県…②
長野県…③
岐阜県…①
静岡県…②
愛知県…①

近畿地方（164～165ページ）

シルエットクイズ

1. 三重県
2. 京都府
3. 兵庫県
4. 和歌山県
5. 大阪府
6. 滋賀県
7. 奈良県

いろいろクイズ

- 三重県……❷
- 滋賀県……❷
- 京都府……❶
- 大阪府……❷
- 兵庫県……❸
- 奈良県……❷
- 和歌山県……❸

中国地方（190～191ページ）

シルエットクイズ

1. 山口県
2. 岡山県
3. 島根県
4. 広島県
5. 鳥取県

いろいろクイズ

- 鳥取県……❸
- 島根県……❶
- 岡山県……❷
- 広島県……❸
- 山口県……❶

四国地方（212～213ページ）

シルエットクイズ

1. 徳島県
2. 香川県
3. 愛媛県
4. 高知県

いろいろクイズ

- 徳島県……❷
- 香川県……❸
- 愛媛県……❸
- 高知県……❷

九州・沖縄地方（250～251ページ）

シルエットクイズ

1. 佐賀県
2. 宮崎県
3. 長崎県
4. 大分県
5. 福岡県
6. 鹿児島県
7. 熊本県
8. 沖縄県

いろいろクイズ

- 福岡県……❶
- 佐賀県……❷
- 長崎県……❸
- 熊本県……❷
- 大分県……❷
- 宮崎県……❶
- 鹿児島県……❷
- 沖縄県……❶

【写真提供・協力】
（公財）知床財団／北海道庁農政部農政課／（公社）青森県観光連盟／（公財）岩手県観光協会／宮城県観光課／（一社）秋田県観光連盟／（公社）山形県観光物産協会／（公財）福島県観光物産交流協会／（一社）茨城県観光物産協会／日光市観光協会／（公社）栃木県観光物産協会／ググッとぐんま写真館／（公社）さいたま観光国際協会／（公社）千葉県観光物産協会／南房総市役所商工観光部／加曽利貝塚博物館／（公財）東京観光財団／村山織物協同組合／（公社）新潟県観光協会／佐渡観光PHOTO／富山県観光・地域振興局観光課／石川県観光連盟／（公社）福井県観光連盟／（公社）やまなし観光推進機構／長野県観光機構／国立天文台／（一社）岐阜県観光連盟／飛騨市役所観光課／（公社）静岡県観光協会／（一社）愛知県観光協会／名古屋市緑政土木局／田原市役所企画部広報秘書課／桶狭間古戦場保存会／伊勢志摩観光コンベンション機構／三重県観光連盟／（公社）びわこビジターズビューロー／（公社）京都府観光連盟／（公財）大阪観光局／大阪府日本万国博覧会記念公園事務所／豊岡市／姫路市／（一社）明石観光協会／（公社）奈良市観光協会／東大寺／五條市役所／（公社）和歌山県観光連盟／鳥取県／（公社）島根県観光連盟／出雲大社／（公社）岡山県観光連盟／広島県／厳島神社／（一社）山口県観光連盟／（一財）徳島県観光協会／（公社）香川県観光協会／直島町／金刀比羅宮／愛媛県経済労働部観光物産課／（公財）高知県観光コンベンション協会／（公社）福岡県観光連盟／（一社）佐賀県観光連盟／（一社）長崎県観光連盟／熊本県観光課／（公社）ツーリズムおおいた／（公財）宮崎県観光協会／（公社）鹿児島県観光連盟／（一財）沖縄観光コンベンションビューロー

長谷川康男(はせがわやすお)

1949年千葉県生まれ。早稲田大学教育学部社会科社会科学専修卒業後、千葉県の公立小学校教諭、筑波大学附属小学校教諭、副校長、明治学院大学心理学部教育発達学科准教授を歴任。
『活用する力を育てる 学習活動事典』東洋館出版社(2011)『小学校社会科 授業づくりと基礎スキル』東洋館出版社(2008)『秘伝 長谷川康男の社会教材研究ノート』学事出版(2012) 他著書多数。教科書(東京書籍)執筆·編集。

マンガ・キャラクター

ゆづか正成

マンガ

加藤のりこ
オオノマサフミ
後藤英貴
Studio CUBE.
あべかよこ
山里將樹

イラスト

イケウチリリー
磯村仁穂
バンチハル
八木橋麗代

地図

ジェイ·マップ
曽根田栄夫

スタッフ

本文デザイン/中富竜人
校正/文字工房 燦光
編集協力/みっとめるへん社·田口純子
編集担当/ナツメ出版企画株式会社(齋藤友里)

本書に関するお問い合わせは、書名·発行日·該当ページを明記の上、下記のいずれかの方法にてお送りください。電話でのお問い合わせはお受けしておりません。
・ナツメ社 web サイトの問い合わせフォーム
https://www.natsume.co.jp/contact
・FAX(03-3291-1305)
・郵送(下記、ナツメ出版企画株式会社宛て)
なお、回答までに日にちをいただく場合があります。正誤のお問い合わせ以外の書籍内容に関する解説·個別の相談は行っておりません。あらかじめご了承ください。

ナツメ社Webサイト
https://www.natsume.co.jp
書籍の最新情報(正誤情報を含む)はナツメ社Webサイトをご覧ください。

新版(しんぱん) オールカラー 楽(たの)しく覚(おぼ)える! 都道府県(とどうふけん)

2021年10月 1日 初版発行

監修者 長谷川康男(はせがわやすお)
発行者 田村正隆

発行所 株式会社ナツメ社
東京都千代田区神田神保町1-52 ナツメ社ビル1F(〒101-0051)
電話 03(3291)1257(代表) FAX 03(3291)5761
振替 00130-1-58661

制 作 ナツメ出版企画株式会社
東京都千代田区神田神保町1-52 ナツメ社ビル3F(〒101-0051)
電話 03(3295)3921(代表)

印刷所 図書印刷株式会社

ISBN978-4-8163-7084-7
〈定価はカバーに表示してあります〉
〈落丁本、乱丁本はお取り替えいたします〉
Printed in Japan

新版 オールカラー
楽しく覚える! 都道府県
シルエットで当てよう!
都道府県カード

ナツメ社

空らんに入る言葉は何かな?

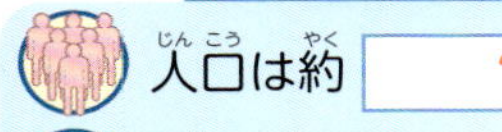

人口は約 ? 万人。

北方領土は、 ? 択捉島、歯舞群島、色丹島の４つの島をさす。

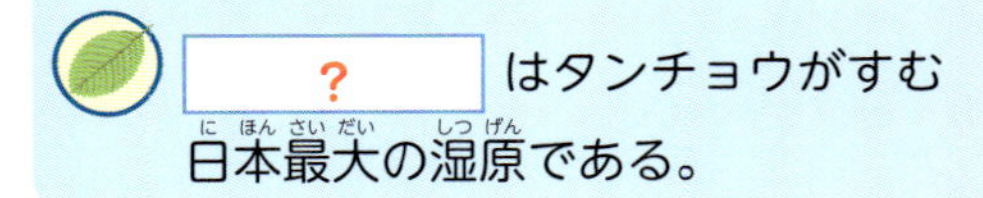

? はタンチョウがすむ日本最大の湿原である。

シルエットで当てよう!

都道府県カード

- 点線で切り取って使います。
- シルエットを見て、どこの都道府県か答えましょう。赤い丸は都道府県庁所在地の位置です。※シルエットは簡略化してあります。
- □ に入ることばを答えましょう。裏面に答えが書いてあります。

わんこそばも有名だよ

空らんに入る言葉は何かな?

人口は約 ? 万人。

三陸海岸のギザギザに入り組んだ海岸線を ? という。

? 市と盛岡市では南部鉄器の生産がさかんである。

空らんに入る言葉は何かな?

人口は約 ? 万人。

巨大な山車がねりあるく有名なお祭りは ? まつり。

三沢市などで生産がさかんな ? は収穫量日本一。

……… 人口
……… 自然・環境
……… 農業
……… 畜産業
……… 漁業
……… 工業
……… 歴史・伝統・文化
……… 伝統工芸
……… その他（交通・豆知識など）

北海道

北海道地方

空らんに入る言葉は何かな?

人口は約 520 万人。

北方領土は、国後島、択捉島、歯舞群島、色丹島の４つの島をさす。

釧路湿原 はタンチョウがすむ日本最大の湿原である。

青森県

東北地方

人口は約 125 万人。

巨大な山車がねりあるく有名なお祭りは ねぶた まつり。

三沢市などで生産がさかんな ゴボウ は収穫量日本一。

岩手県

東北地方

人口は約 123 万人。

三陸海岸のギザギザに入り組んだ海岸線を リアス式海岸 という。

奥州 市と盛岡市では南部鉄器の生産がさかんである。

空らんに入る言葉は何かな?

人口は約 ? 万人。

日本有数の米どころで、
? の生産がさかん。

木材の産地として有名で、
面積の約 ? 割が森林である。

空らんに入る言葉は何かな?

人口は約 ? 万人。

仙台平野は日本で有数の米の
産地で ? や
「ササニシキ」などの品種が人気。

? は、1600年に
伊達政宗によって築城された。

空らんに入る言葉は何かな?

人口は約 ? 万人。

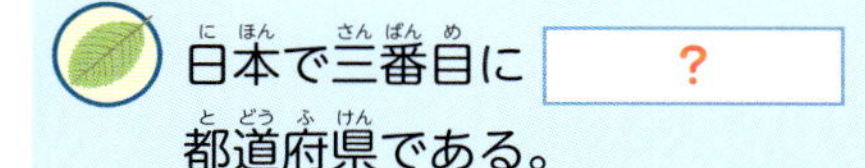

日本で三番目に ?
都道府県である。

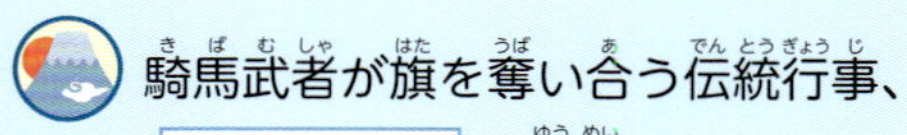

騎馬武者が旗を奪い合う伝統行事、
? が有名。

空らんに入る言葉は何かな?

人口は約 ? 万人。

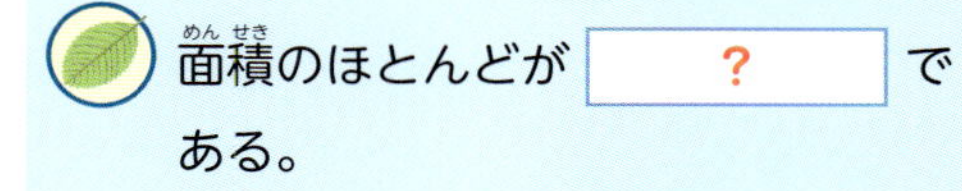

面積のほとんどが ? で
ある。

? と ? の
生産量が日本一。

宮城県

東北地方

仙台市

空らんに入る言葉は何かな?

人口は約 231 万人。

仙台平野は日本で有数の米の

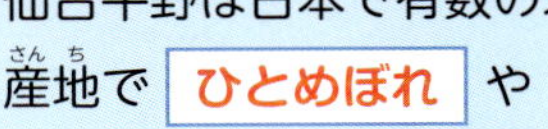

産地で ひとめぼれ や

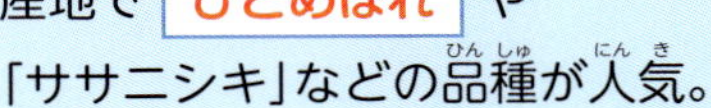

「ササニシキ」などの品種が人気。

仙台城(青葉城) は、1600年に伊達政宗によって築城された。

秋田県

東北地方

空らんに入る言葉は何かな?

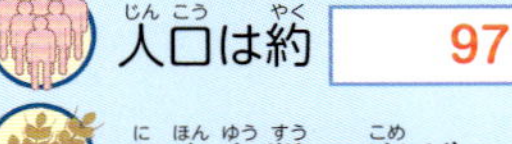

人口は約 97 万人。

日本有数の米どころで、

あきたこまち の生産がさかん。

木材の産地として有名で、

面積の約 7 割が森林である。

山形県

東北地方

空らんに入る言葉は何かな?

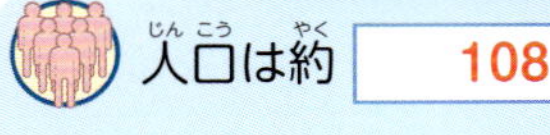

人口は約 108 万人。

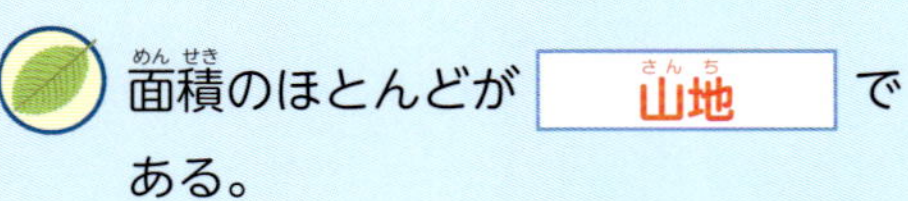

面積のほとんどが 山地 である。

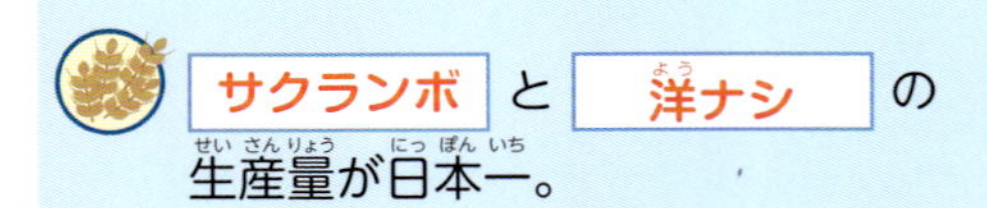

サクランボ と 洋ナシ の生産量が日本一。

福島県

東北地方

空らんに入る言葉は何かな?

人口は約 185 万人。

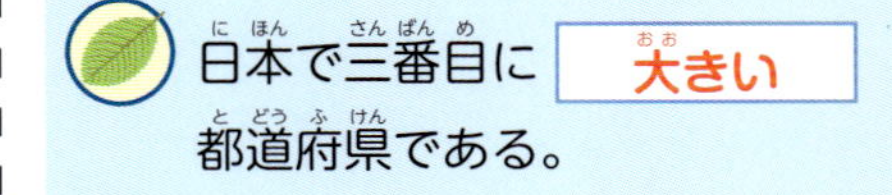

日本で三番目に 大きい 都道府県である。

騎馬武者が旗を奪い合う伝統行事、

相馬野馬追 が有名。

人口は約 ? 万人。

標高1000m以上にある ? は、日本一高い場所にある湖である。

? では、江戸時代から約360年間、銅の採掘が行われていた。

空らんに入る言葉は何かな?

人口は約 ? 万人。

? では、ロケットや宇宙ステーションの開発が行われている。

鉾田市は、 ? の生産量が日本一である。

人口は約 ? 万人。

９つの大きな古墳が残されている ? は、行田市にある。

加須市では、 ? の生産量が日本一である。

人口は約 ? 万人。

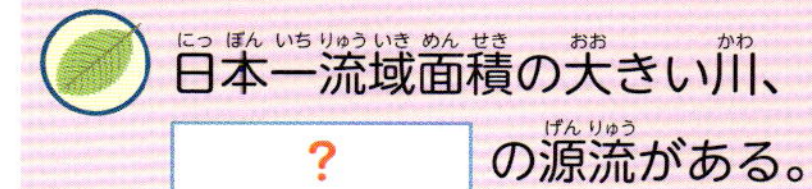

日本一流域面積の大きい川、 ? の源流がある。

全国の ? の約８割が高崎市で生産されている。

茨城県
関東地方

空らんに入る言葉は何かな?

 人口は約 **286** 万人。

 **JAXA 筑波宇宙センター** では、ロケットや宇宙ステーションの開発が行われている。

 鉾田市は、**メロン** の生産量が日本一である。

栃木県
関東地方

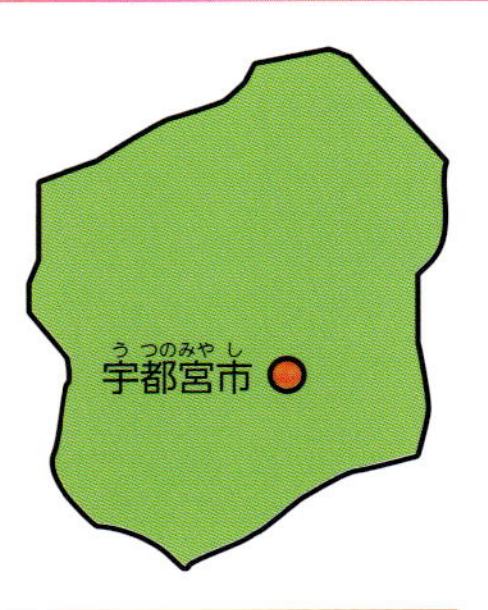

空らんに入る言葉は何かな?

 人口は約 **193** 万人。

 標高1000m以上にある **中禅寺湖** は、日本一高い場所にある湖である。

 **足尾銅山** では、江戸時代から約360年間、銅の採掘が行われていた。

群馬県
関東地方

空らんに入る言葉は何かな?

 人口は約 **194** 万人。

 日本一流域面積の大きい川、**利根川** の源流がある。

 全国の **だるま** の約８割が高崎市で生産されている。

埼玉県
関東地方

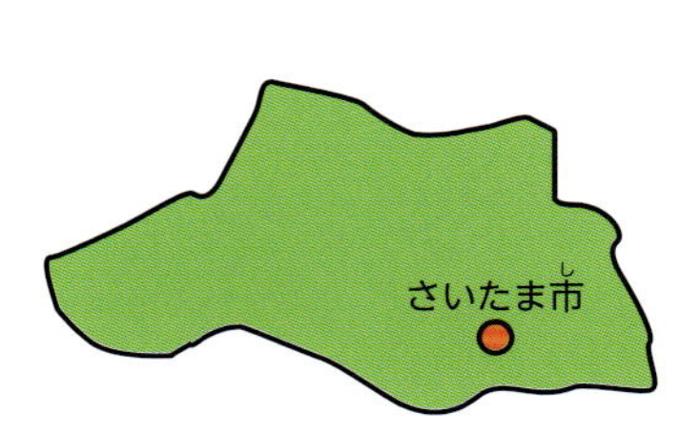

空らんに入る言葉は何かな?

 人口は約 **735** 万人。

 9つの大きな古墳が残されている **さきたま古墳群** は、行田市にある。

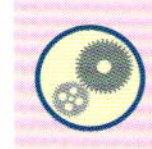 加須市では、**こいのぼり** の生産量が日本一である。

空らんに入る言葉は何かな？

人口は約 ［？］ 万人。

［？］ は、世界一高い自立式電波塔である。

ツバキ油が特産品の ［？］ は、ツバキの島として有名。

空らんに入る言葉は何かな？

人口は約 ［？］ 万人。

千葉県木更津市と神奈川県川崎市は、［？］ でつながっている。

日本と外国とを結ぶ空の玄関口、［？］ 空港がある。

米どころとしても有名だね

空らんに入る言葉は何かな？

人口は約 ［？］ 万人。

大きくて自然が豊かな島、［？］ にはトキの森公園がある。

織った布をもんでしわをつける ［？］ という織物が有名。

観光地としても人気があるよ

空らんに入る言葉は何かな？

人口は約 ［？］ 万人。

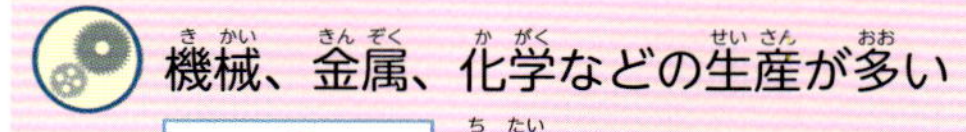

機械、金属、化学などの生産が多い

［？］ 地帯がある。

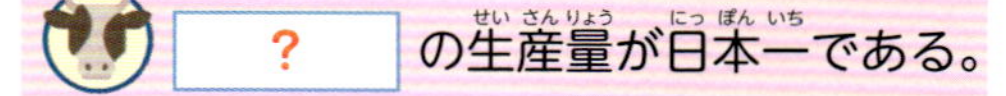

［？］ の生産量が日本一である。

千葉県 関東地方

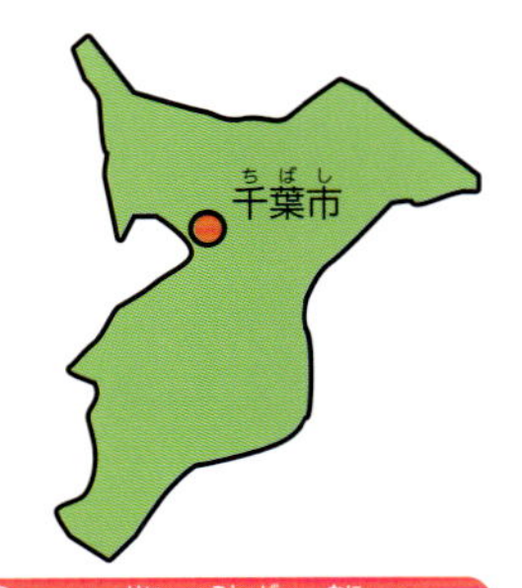

空らんに入る言葉は何かな?

人口は約 **626** 万人。

千葉県木更津市と神奈川県川崎市は、**東京湾アクアライン** でつながっている。

日本と外国とを結ぶ空の玄関口、**成田国際** 空港がある。

東京都 関東地方

空らんに入る言葉は何かな?

人口は約 **1392** 万人。

東京スカイツリー は、世界一高い自立式電波塔である。

ツバキ油が特産品の **伊豆大島** は、ツバキの島として有名。

神奈川県 関東地方

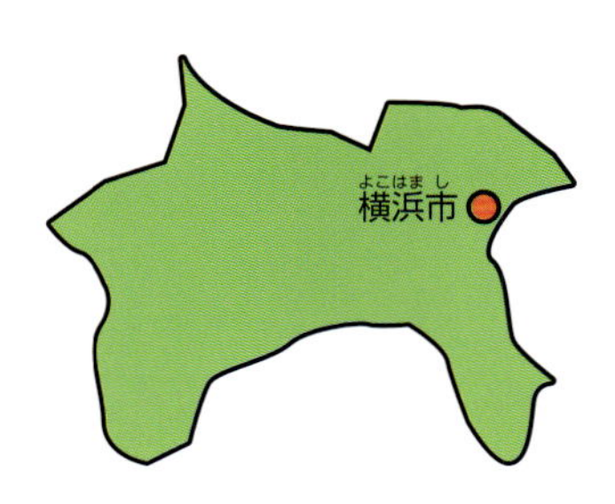

空らんに入る言葉は何かな?

人口は約 **919** 万人。

機械、金属、化学などの生産が多い **京浜工業** 地帯がある。

チーズ の生産量が日本一である。

新潟県 中部地方

空らんに入る言葉は何かな?

人口は約 **222** 万人。

大きくて自然が豊かな島、**佐渡島** にはトキの森公園がある。

織った布をもんでしわをつける **小千谷ちぢみ** という織物が有名。

空らんに入る言葉は何かな?

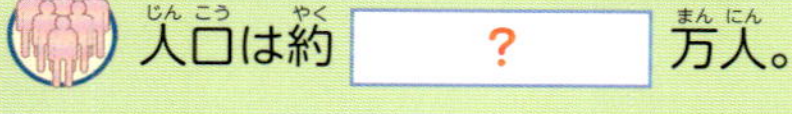
人口は約 ［？］ 万人。

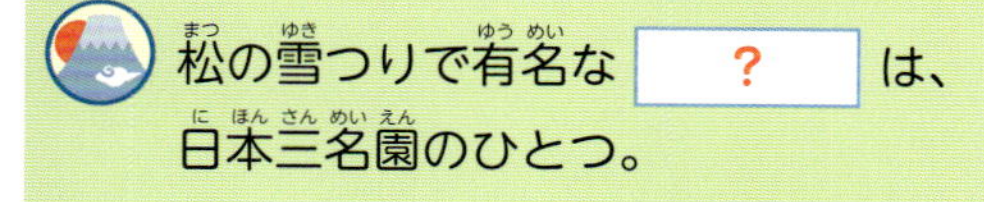
松の雪つりで有名な ［？］ は、日本三名園のひとつ。

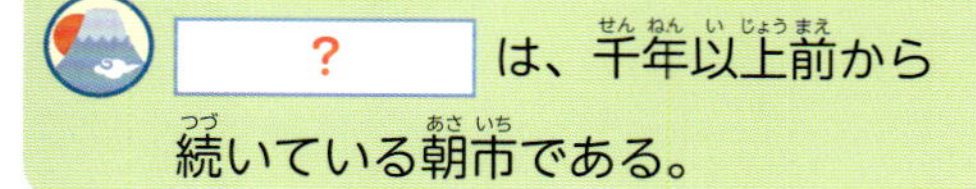
［？］ は、千年以上前から続いている朝市である。

空らんに入る言葉は何かな?

人口は約 ［？］ 万人。

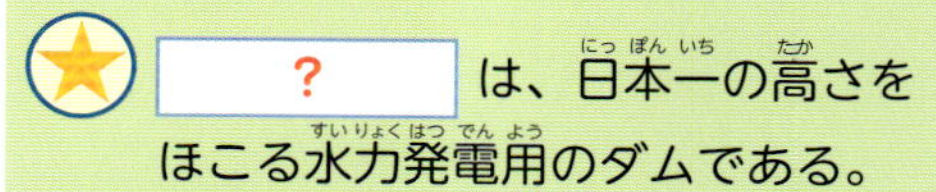
［？］ は、日本一の高さをほこる水力発電用のダムである。

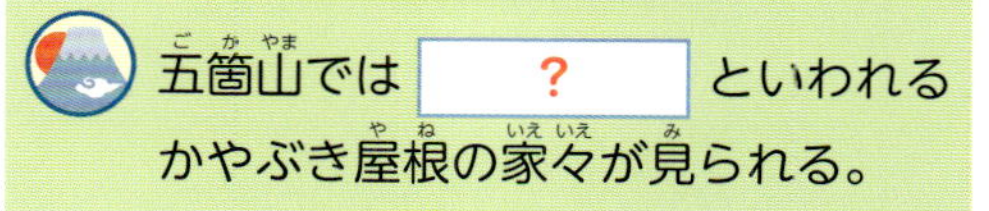
五箇山では ［？］ といわれるかやぶき屋根の家々が見られる。

空らんに入る言葉は何かな?

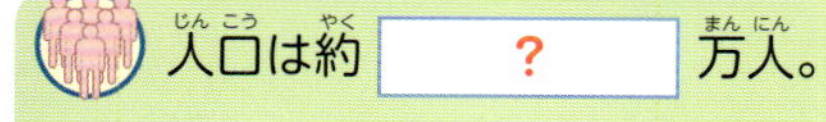
人口は約 ［？］ 万人。

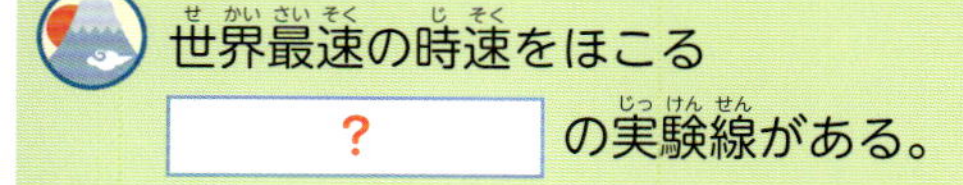
世界最速の時速をほこる ［？］ の実験線がある。

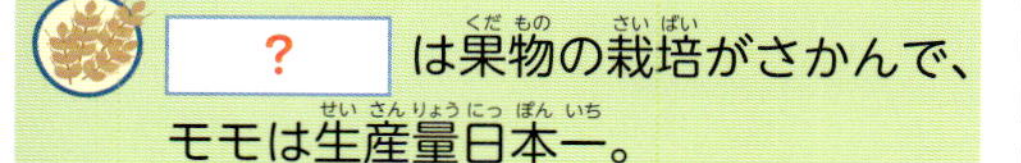
［？］ は果物の栽培がさかんで、モモは生産量日本一。

空らんに入る言葉は何かな?

人口は約 ［？］ 万人。

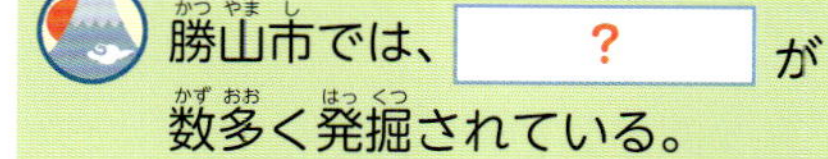
勝山市では、 ［？］ が数多く発掘されている。

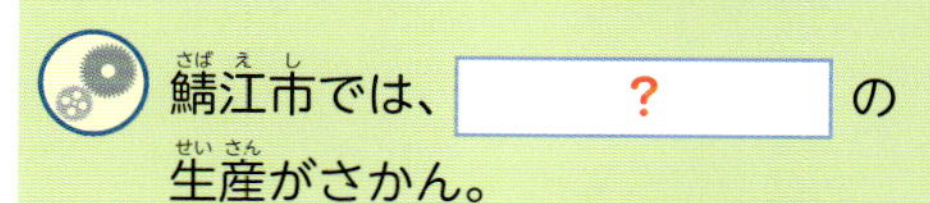
鯖江市では、 ［？］ の生産がさかん。

富山県（とやまけん）

中部地方（ちゅうぶちほう）

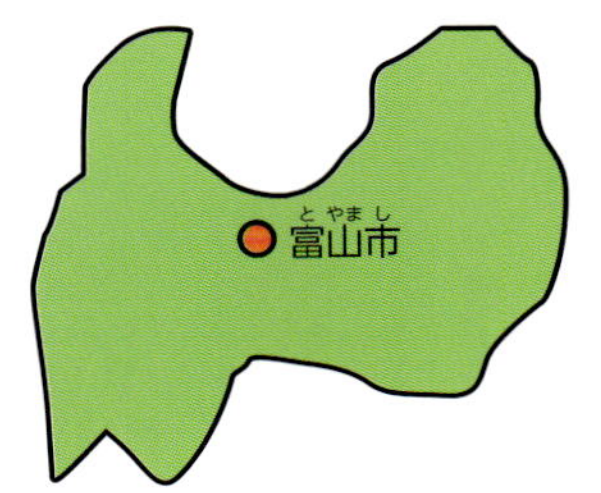

空らんに入る言葉は何かな？

人口は約 **104** 万人。

黒部ダム は、日本一の高さをほこる水力発電用のダムである。

五箇山では **合掌づくり** といわれるかやぶき屋根の家々が見られる。

石川県（いしかわけん）

中部地方（ちゅうぶちほう）

金沢市

空らんに入る言葉は何かな？

人口は約 **114** 万人。

松の雪つりで有名な **兼六園** は、日本三名園のひとつ。

輪島朝市 は、千年以上前から続いている朝市である。

福井県（ふくいけん）

中部地方（ちゅうぶちほう）

空らんに入る言葉は何かな？

人口は約 **77** 万人。

勝山市では、**恐竜の化石** が数多く発掘されている。

鯖江市では、**めがねフレーム** の生産がさかん。

山梨県（やまなしけん）

中部地方（ちゅうぶちほう）

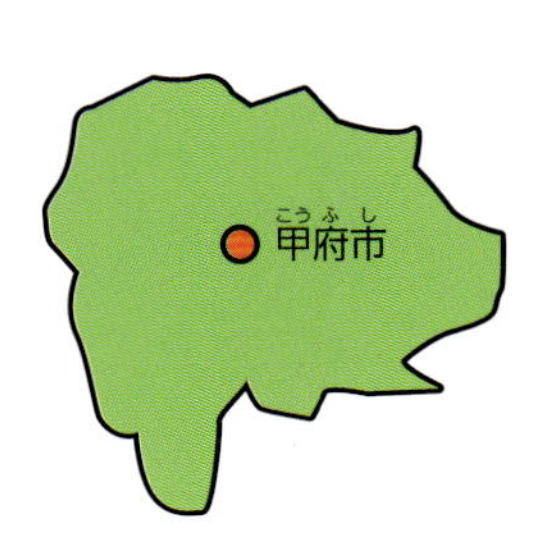

空らんに入る言葉は何かな？

人口は約 **81** 万人。

世界最速の時速をほこる **リニア新幹線** の実験線がある。

甲府盆地 は果物の栽培がさかんで、モモは生産量日本一。

おいしい飛騨牛の産地だよ

空らんに入る言葉は何かな？

人口は約 ？ 万人。

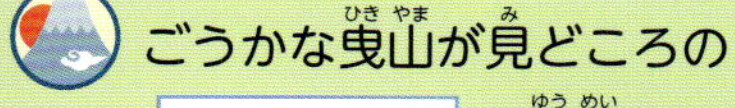

ごうかな曳山が見どころの ？ が有名である。

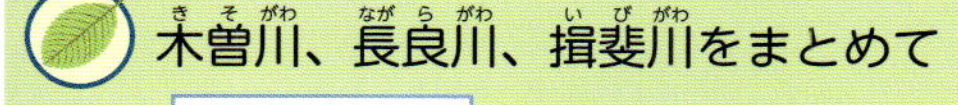

木曽川、長良川、揖斐川をまとめて ？ という。

日本の屋根ともいわれているよ

空らんに入る言葉は何かな？

人口は約 ？ 万人。

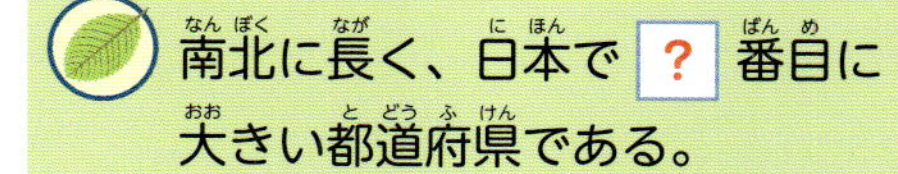

南北に長く、日本で ？ 番目に大きい都道府県である。

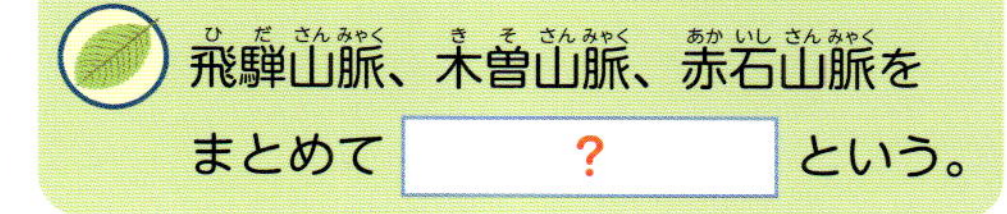

飛騨山脈、木曽山脈、赤石山脈をまとめて ？ という。

空らんに入る言葉は何かな？

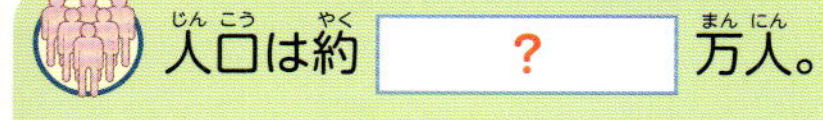

人口は約 ？ 万人。

中部地方の経済・産業の中心で、人口が全国で ？ 番目に多い。

？ 地帯は、工業製品の出荷額日本一。

ミカンの栽培もさかんだよ

空らんに入る言葉は何かな？

人口は約 ？ 万人。

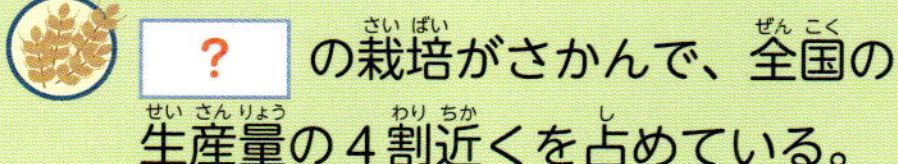

？ の栽培がさかんで、全国の生産量の４割近くを占めている。

音楽のまちとして知られる ？ では、ピアノの生産がさかん。

長野県 中部地方

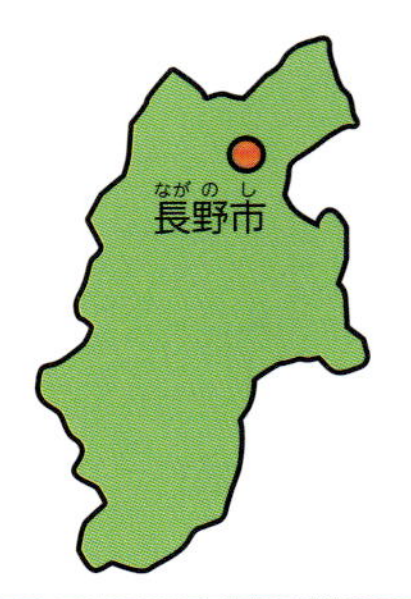

空らんに入る言葉は何かな？

人口は約 205 万人。

南北に長く、日本で 四 番目に大きい都道府県である。

飛騨山脈、木曽山脈、赤石山脈をまとめて 日本アルプス という。

岐阜県 中部地方

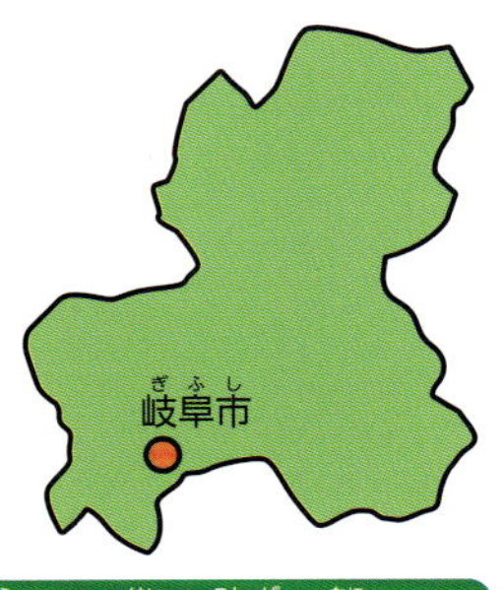

空らんに入る言葉は何かな？

人口は約 199 万人。

ごうかな曳山が見どころの 高山祭 が有名である。

木曽川、長良川、揖斐川をまとめて 木曽三川 という。

静岡県 中部地方

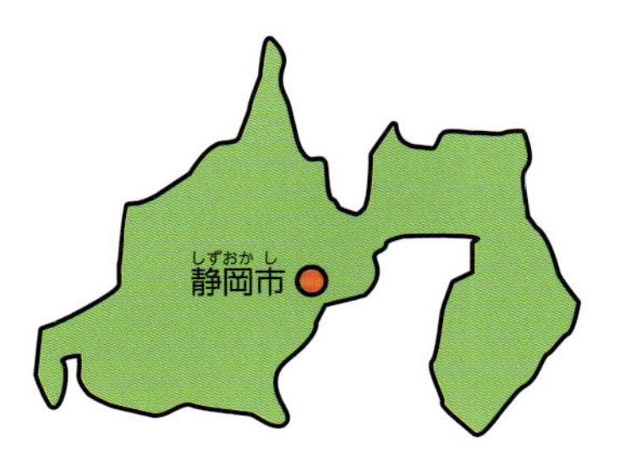

空らんに入る言葉は何かな？

人口は約 364 万人。

お茶 の栽培がさかんで、全国の生産量の４割近くを占めている。

音楽のまちとして知られる 浜松市 では、ピアノの生産がさかん。

愛知県 中部地方

空らんに入る言葉は何かな？

人口は約 755 万人。

中部地方の経済・産業の中心で、人口が全国で 四 番目に多い。

中京工業 地帯は、工業製品の出荷額日本一。

彦根城や安土城跡があるよ

空らんに入る言葉は何かな?

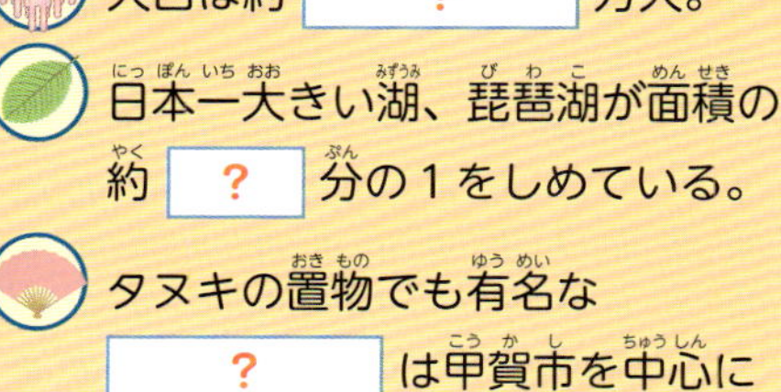

人口は約 ？ 万人。

日本一大きい湖、琵琶湖が面積の約 ？ 分の１をしめている。

タヌキの置物でも有名な ？ は甲賀市を中心に作られている陶磁器である。

日本の東西をつなぐ要所といわれるよ

空らんに入る言葉は何かな?

人口は約 ？ 万人。

多くの参拝客がおとずれる ？ は、日本を代表する神社である。

県南部の七里御浜には、 ？ が産卵にやってくる。

空らんに入る言葉は何かな?

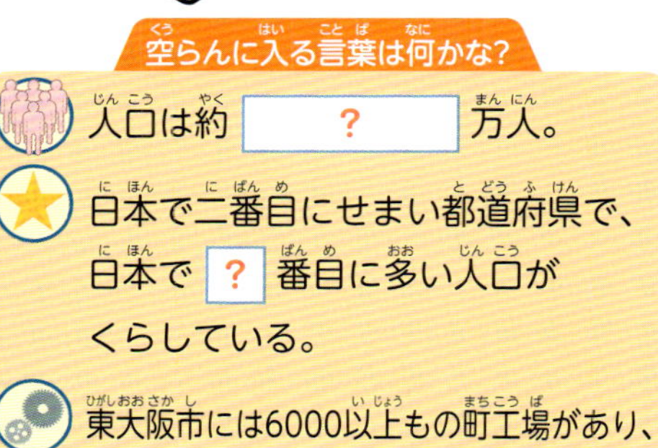

人口は約 ？ 万人。

日本で二番目にせまい都道府県で、日本で ？ 番目に多い人口がくらしている。

東大阪市には6000以上もの町工場があり、 ？ ともいわれている。

長い間日本の中心だったんだよ

空らんに入る言葉は何かな?

人口は約 ？ 万人。

十円玉に描かれている ？ 鳳凰堂がある。

日本を代表する高級織物の ？ が有名。

三重県

近畿地方

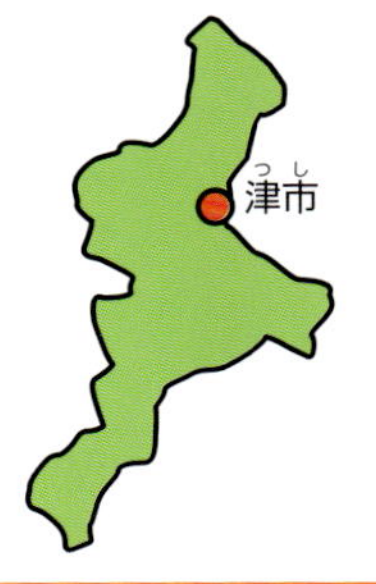

空らんに入る言葉は何かな?

人口は約 **178** 万人。

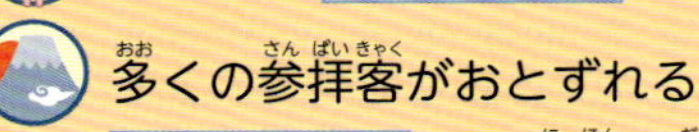

多くの参拝客がおとずれる **伊勢神宮** は、日本を代表する神社である。

県南部の七里御浜には、**アカウミガメ** が産卵にやってくる。

滋賀県

近畿地方

空らんに入る言葉は何かな?

人口は約 **141** 万人。

日本一大きい湖、琵琶湖が面積の約 **6** 分の1をしめている。

タヌキの置物でも有名な **信楽焼** は甲賀市を中心に作られている陶磁器である。

京都府

近畿地方

空らんに入る言葉は何かな?

人口は約 **258** 万人。

十円玉に描かれている **平等院** 鳳凰堂がある。

日本を代表する高級織物の **西陣織** が有名。

大阪府

近畿地方

空らんに入る言葉は何かな?

人口は約 **881** 万人。

日本で二番目にせまい都道府県で、日本で **三** 番目に多い人口がくらしている。

東大阪市には6000以上もの町工場があり、**ものづくりの町** ともいわれている。

空らんに入る言葉は何かな?

人口は約 ? 万人。

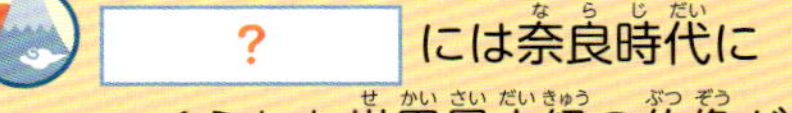
? には奈良時代に
つくられた世界最大級の仏像がある。

全国トップクラスの
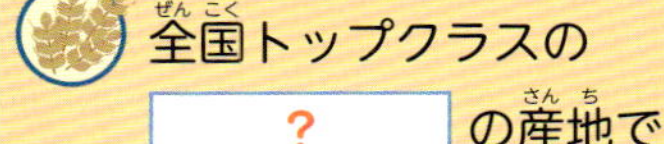
? の産地で
いろいろな種類を栽培している。

空らんに入る言葉は何かな?

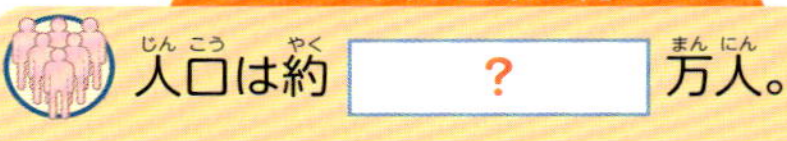
人口は約 ? 万人。

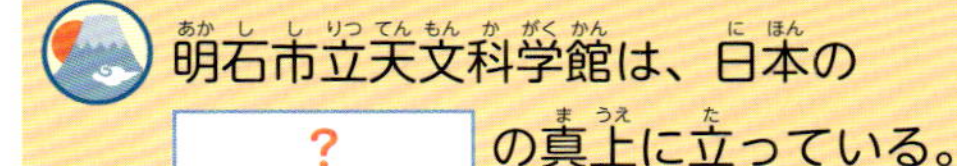
明石市立天文科学館は、日本の
? の真上に立っている。

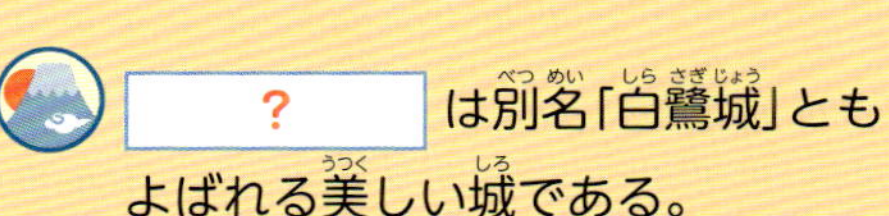
? は別名「白鷺城」とも
よばれる美しい城である。

空らんに入る言葉は何かな?

人口は約 ? 万人。

日本最大級の砂丘のひとつ、

? が有名。

ほとんどの工程が手作業で行われる
? の生産がさかんである。

空らんに入る言葉は何かな?

人口は約 ? 万人。

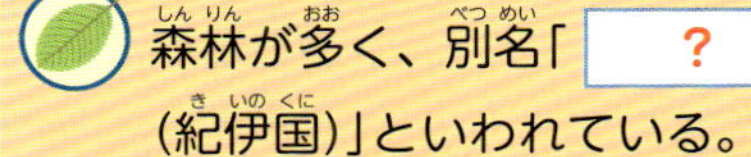
森林が多く、別名「 ?
(紀伊国)」といわれている。

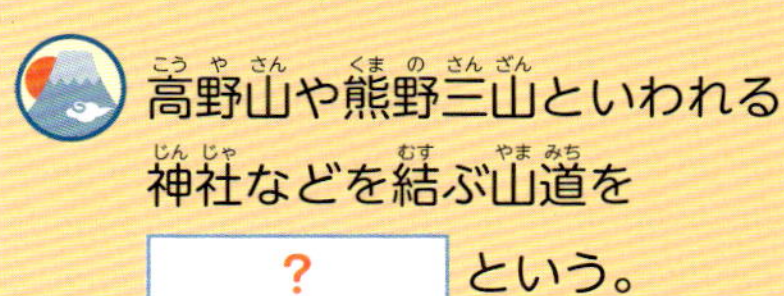
高野山や熊野三山といわれる
神社などを結ぶ山道を
? という。

兵庫県 近畿地方

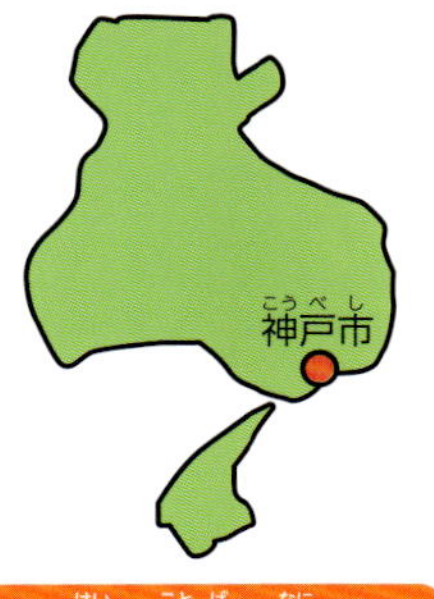

空らんに入る言葉は何かな?

人口は約 **547** 万人。

明石市立天文科学館は、日本の **標準時子午線** の真上に立っている。

姫路城 は別名「白鷺城」ともよばれる美しい城である。

奈良県 近畿地方

空らんに入る言葉は何かな?

人口は約 **133** 万人。

東大寺 には奈良時代につくられた世界最大級の仏像がある。

全国トップクラスの **柿** の産地でいろいろな種類を栽培している。

和歌山県 近畿地方

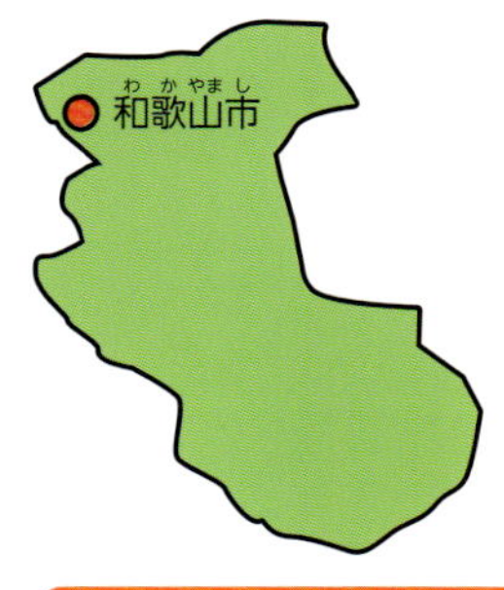

空らんに入る言葉は何かな?

人口は約 **93** 万人。

森林が多く、別名「 **木の国** (紀伊国)」といわれている。

高野山や熊野三山といわれる神社などを結ぶ山道を **熊野古道** という。

鳥取県 中国地方

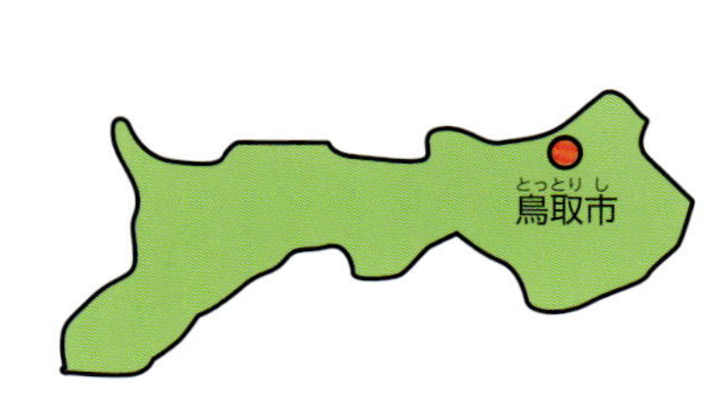

空らんに入る言葉は何かな?

人口は約 **57** 万人。

日本最大級の砂丘のひとつ、 **鳥取砂丘** が有名。

ほとんどの工程が手作業で行われる **因州和紙** の生産がさかんである。

空らんに入る言葉は何かな?

人口は約 [?] 万人。

土の味わいを出す焼き物、[?] が平安時代からつくられている。

倉敷市は繊維の町といわれ、[?] の生産が日本一である。

空らんに入る言葉は何かな?

人口は約 [?] 万人。

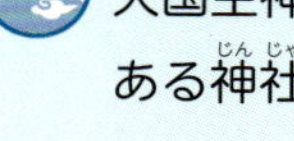
大国主神がまつられている歴史のある神社、[?] がある。

[?] は、日本有数のシジミの産地である。

空らんに入る言葉は何かな?

人口は約 [?] 万人。

海底を通る [?] で九州とつながっている。

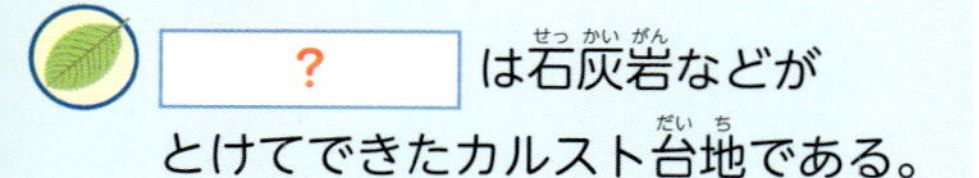
[?] は石灰岩などがとけてできたカルスト台地である。

空らんに入る言葉は何かな?

人口は約 [?] 万人。

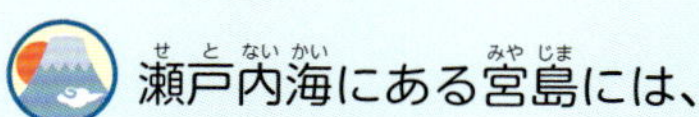
瀬戸内海にある宮島には、

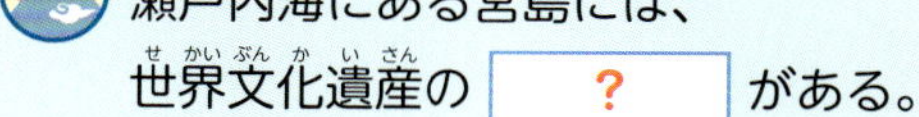
世界文化遺産の [?] がある。

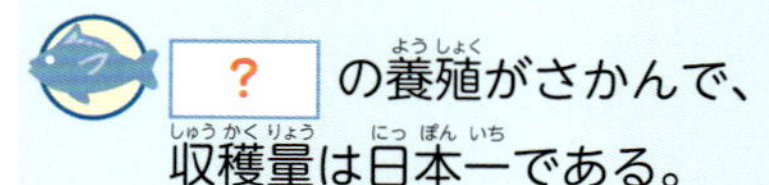
[?] の養殖がさかんで、収穫量は日本一である。

島根県 中国地方

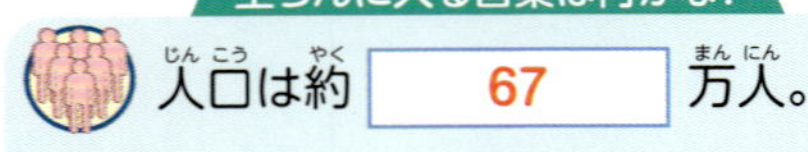
空らんに入る言葉は何かな?

人口は約 **67** 万人。

大国主神がまつられている歴史のある神社、**出雲大社** がある。

宍道湖 は、日本有数のシジミの産地である。

岡山県 中国地方

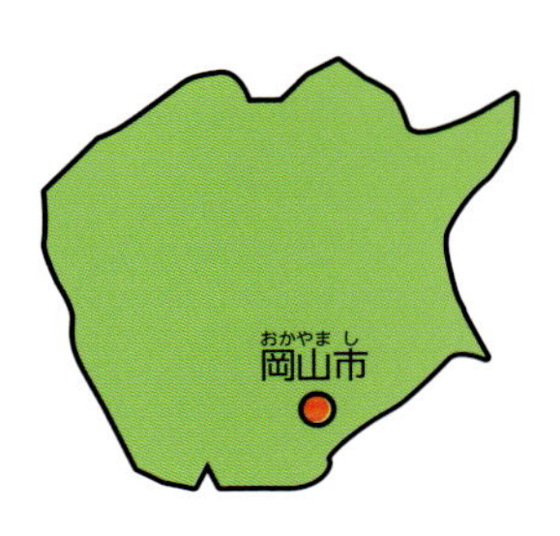

空らんに入る言葉は何かな?

人口は約 **189** 万人。

土の味わいを出す焼き物、**備前焼** が平安時代からつくられている。

倉敷市は繊維の町といわれ、**学生服** の生産が日本一である。

広島県 中国地方

空らんに入る言葉は何かな?

人口は約 **280** 万人。

瀬戸内海にある宮島には、世界文化遺産の **厳島神社** がある。

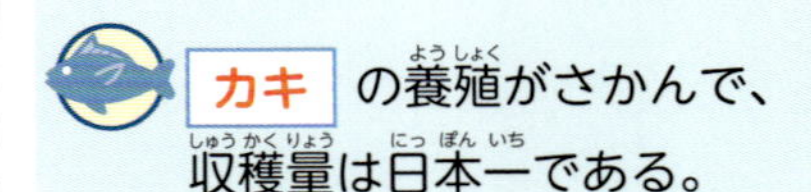
カキ の養殖がさかんで、収穫量は日本一である。

山口県 中国地方

空らんに入る言葉は何かな?

人口は約 **136** 万人。

海底を通る **関門トンネル** で九州とつながっている。

秋吉台 は石灰岩などがとけてできたカルスト台地である。

空らんに入る言葉は何かな?

人口は約 [?] 万人。

日本一面積の [?] 都道府県である。

小豆島では [?] が有名で、全国のほぼ十割近くが栽培されている。

空らんに入る言葉は何かな?

人口は約 [?] 万人。

兵庫県との間にある [?] では、大きなうず潮が見られる。

[?] が有名で、全国のほぼ十割近くが栽培されている。

空らんに入る言葉は何かな?

人口は約 [?] 万人。

四国で一番長い [?] が流れている。清流でも有名。

県南部の土佐湾では [?] の一本釣りが有名。

空らんに入る言葉は何かな?

人口は約 [?] 万人。

[?] で本州の広島県とつながっている。

標高1982mの [?] は西日本で最も高い山である。

徳島県

四国地方

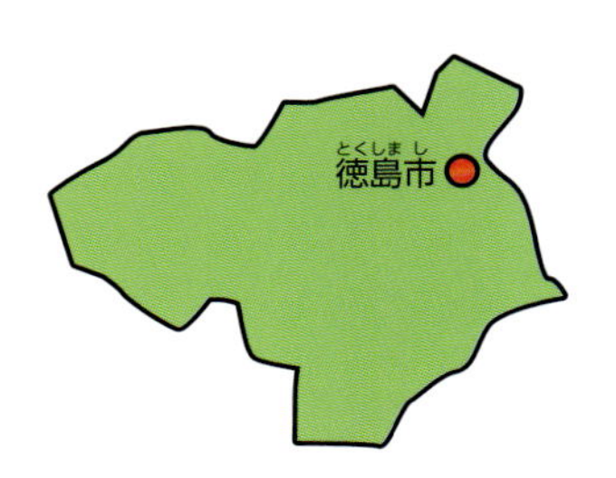

空らんに入る言葉は何かな?

人口は約 **73** 万人。

兵庫県との間にある **鳴門海峡** では、大きなうず潮が見られる。

スダチ が有名で、全国のほぼ十割近くが栽培されている。

香川県

四国地方

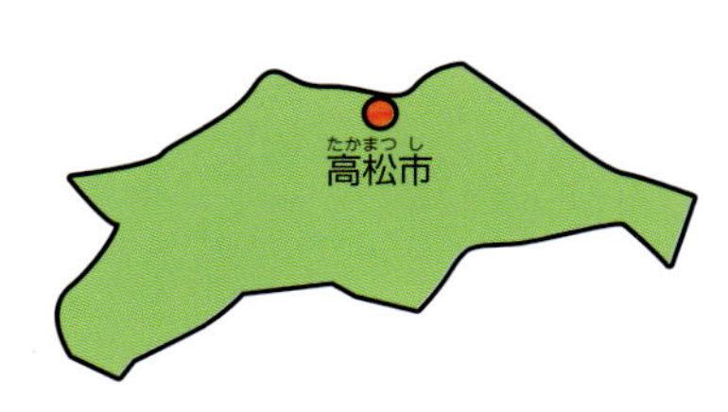

空らんに入る言葉は何かな?

人口は約 **96** 万人。

日本一面積の **小さい** 都道府県である。

小豆島では **オリーブ** が有名で、全国のほぼ十割近くが栽培されている。

愛媛県

四国地方

空らんに入る言葉は何かな?

人口は約 **134** 万人。

しまなみ海道 で本州の広島県とつながっている。

標高1982mの **石鎚山** は西日本で最も高い山である。

高知県

四国地方

空らんに入る言葉は何かな?

人口は約 **70** 万人。

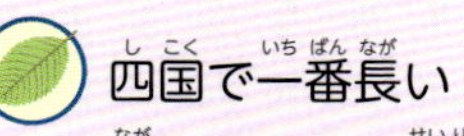
四国で一番長い **四万十川** が流れている。清流でも有名。

県南部の土佐湾では **カツオ** の一本釣りが有名。

空らんに入る言葉は何かな？

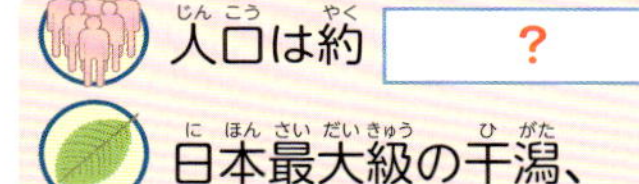

人口は約 [?] 万人。

日本最大級の干潟、[?] にはムツゴロウなどのめずらしい生き物がすむ。

日本最大級の遺跡、[?] は弥生時代の集落の跡である。

空らんに入る言葉は何かな？

人口は約 [?] 万人。

有明海では [?] の養殖がさかんである。

学問の神様といわれる菅原道真がまつられている神社、[?] がある。

空らんに入る言葉は何かな？

人口は約 [?] 万人。

世界最大級のカルデラをもつ火山、[?] がある。

日本三名城のひとつ [?] は、別名「銀杏城」ともよばれる。

空らんに入る言葉は何かな？

人口は約 [?] 万人。

[?] の数が日本一多く、海岸線が北海道の次に長い。

[?] 類の漁獲量が日本一で、タイやサバの仲間も豊富にとれる。

福岡県 九州地方

空らんに入る言葉は何かな?

人口は約 [510] 万人。

有明海では [ノリ] の養殖がさかんである。

学問の神様といわれる菅原道真がまつられている神社、[太宰府天満宮] がある。

佐賀県 九州地方

空らんに入る言葉は何かな?

人口は約 [82] 万人。

日本最大級の干潟、[有明海] にはムツゴロウなどのめずらしい生き物がすむ。

日本最大級の遺跡、[吉野ケ里遺跡] は弥生時代の集落の跡である。

長崎県 九州地方

空らんに入る言葉は何かな?

人口は約 [133] 万人。

[島] の数が日本一多く、海岸線が北海道の次に長い。

[アジ] 類の漁獲量が日本一で、タイやサバの仲間も豊富にとれる。

熊本県 九州地方

空らんに入る言葉は何かな?

人口は約 [175] 万人。

世界最大級のカルデラをもつ火山、[阿蘇山] がある。

日本三名城のひとつ [熊本城] は、別名「銀杏城」ともよばれる。

神話にまつわる場所がたくさんあるよ

空らんに入る言葉は何かな?

人口は約 [?] 万人。

促成栽培がさかんで、ナス、ピーマン、[?] などの生産量が多い。

県東部の [?] は120kmにわたって岩が続き、観光名所が多くある。

空らんに入る言葉は何かな?

人口は約 [?] 万人。

日本で一番発電量が多い地熱発電所、[?] がある。

[?] が有名で、全国の９割以上が栽培されている。

きれいな海に囲まれているよ

空らんに入る言葉は何かな?

人口は約 [?] 万人。

かつては [?] という独立した国として栄えていた。

西表島には特別天然記念物の [?] が生息している。

空らんに入る言葉は何かな?

人口は約 [?] 万人。

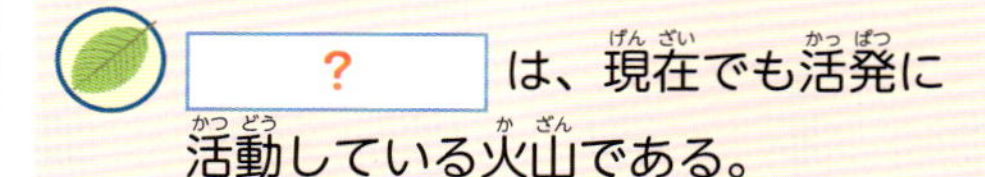

[?] は、現在でも活発に活動している火山である。

日本最大のロケットの打ち上げ施設、[?] がある。

大分県

九州地方

空らんに入る言葉は何かな?

人口は約 **114** 万人。

日本で一番発電量が多い地熱発電所、**八丁原発電所** がある。

カボス が有名で、全国の９割以上が栽培されている。

宮崎県

九州地方

空らんに入る言葉は何かな?

人口は約 **107** 万人。

促成栽培がさかんで、ナス、ピーマン、**キュウリ** などの生産量が多い。

県東部の **日南海岸** は120kmにわたって岩が続き、観光名所が多くある。

鹿児島県

九州地方

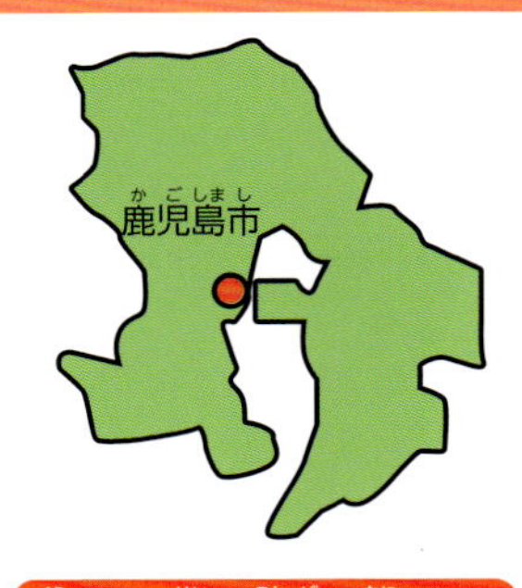

空らんに入る言葉は何かな?

人口は約 **160** 万人。

桜島 は、現在でも活発に活動している火山である。

日本最大のロケットの打ち上げ施設、**種子島宇宙センター** がある。

沖縄県

沖縄地方

空らんに入る言葉は何かな?

人口は約 **145** 万人。

かつては **琉球王国** という独立した国として栄えていた。

西表島には特別天然記念物の **イリオモテヤマネコ** が生息している。

⇨ 矢印の方向に引くと、取りはずすことができます。